L'ÂME À VIF

Catalogage avant publication de Bibliothèque et Archives nationales du Québec et Bibliothèque et Archives Canada

De Vailly, Corinne, 1959-
　L'âme à vif
　(Tabou ; 22)
　Pour les jeunes de 14 ans et plus.

　ISBN 978-2-89662-319-8
　I. Titre. II. Collection : Tabou ; 22.

PS8593.A526A63 2014　　　　jC843'.54　　　　C2014-940672-X
PS9593.A526A63 2014

Édition
Les Éditions de Mortagne
Case postale 116
Boucherville (Québec)
J4B 5E6
Tél. : 450 641-2387
Téléc. : 450 655-6092
editionsdemortagne.com

Tous droits réservés
Les Éditions de Mortagne
© Ottawa 2014

Dépôt légal
Bibliothèque et Archives Canada
Bibliothèque et Archives nationales du Québec
Bibliothèque Nationale de France
2ᵉ trimestre 2014

ISBN 978-2-89662-319-8
ISBN (epdf) 978-2-89662-320-4
ISBN (epub) 978-2-89662-321-1

1 2 3 4 5 – 14 – 18 17 16 15 14

Imprimé au Canada

Nous reconnaissons l'aide financière du gouvernement du Canada par l'entremise du Fonds du livre du Canada (FLC) et celle du gouvernement du Québec par l'entremise de la Société de développement des entreprises culturelles (SODEC) pour nos activités d'édition. Gouvernement du Québec – Programme de crédit d'impôt pour l'édition de livres – Gestion SODEC.

Membre de l'Association nationale des éditeurs de livres (ANEL)

ASSOCIATION
NATIONALE
DES ÉDITEURS
DE LIVRES

Corinne De Vailly

L'ÂME À VIF

ÉDITIONS DE MORTAGNE

À M. Bon courage !

Merci de m'avoir accordé du temps et fait part de ton avis.

Un merci tout particulier à Julie Labelle, qui a pris le temps de valider les informations contenues dans cet ouvrage.

Sommaire

« La blessure vit au fond du cœur ! »

Pendant que tu soignes les blessures,
la douleur est un remède à la douleur.

Proverbe latin

- 1 -

CHAMBRE 214

Est-ce que tout ce vacarme va finir bientôt ? Je n'en peux plus !

Je perçois les bruits de pas d'infirmières qui courent, des plaintes, des noms de médecins crachés par l'interphone... Ça me semble venir de loin, comme à travers une boule de coton, pourtant ça m'agresse. J'ai mal à la tête. Arrêtez !

Mes mains plaquées sur mes oreilles ne suffisent pas à bloquer tous ces sons.

Rien, ne plus rien entendre. Ne plus penser...

Je sens ma tête qui oscille. D'avant en arrière, de plus en plus. J'aimerais la retenir, mais je ne peux pas. Bang ! contre la porte des toilettes. Bang ! une autre fois.

Fort, plus fort !

La douleur à mon front perce doucement ma conscience. Pas assez, cependant. J'ai besoin que ça fasse mal, plus mal encore.

Un peu de sang souille le métal grisâtre devant moi. Pendant quelques secondes, je fixe la minuscule tache rouge. Hypnotisée.

Est-ce vraiment le mien ?

Je porte ma main droite à mon front. Une entaille. Un peu de sang reste sur mes doigts. J'ai mal. Je vais avoir une cicatrice... Je m'en fiche. C'est étrange, cette douleur au front semble endormir celle que j'ai au cœur depuis de nombreuses heures. Comme si toute ma souffrance était concentrée dans ma bosse.

– Angélique, qu'est-ce qui se passe ? Ça fait dix minutes que t'es enfermée dans les toilettes. Es-tu malade ?

Merde ! Ma grand-mère ! Vite, un bout de papier de toilette. Je m'en tamponne le front pour enlever le sang. Je rabats ma frange pour camoufler l'entaille. Ni vu ni connu !

C'est sûr qu'elle va voir que j'ai pleuré, mais ça, c'est normal. Si je ne pleurais pas vu les circonstances, je serais une sans-cœur.

Une profonde inspiration et j'ouvre la porte. Un pas, deux pas, je sors. Grand-Maman est appuyée contre le comptoir des lavabos. Elle se passe un peu d'eau froide sur le visage. Elle aussi, elle a pleuré. Je m'approche du lavabo à sa droite, fais couler l'eau et m'en asperge, surtout le front, pour effacer toute trace de mon geste. Si je pouvais en faire autant avec le mal intérieur qui me ronge !

Ma grand-mère se tourne vers moi au moment où je ramène ma mèche de cheveux sur l'entaille.

– Qu'est-ce que tu as à la tête ? me demande-t-elle, les sourcils froncés.

– Oh ! Rien de grave ! Je me suis cognée contre le loquet en me relevant trop vite de la cuvette.

– Savonne comme il faut, il ne faudrait pas que ça s'infecte.

J'obéis sans dire un mot.

Elle a raison, mais qu'est-ce que ça peut me faire que toutes les bactéries du monde m'attaquent ? Qu'elles me bouffent, même ! Grand-Maman, si tu savais combien la douleur que j'ai dans la poitrine me fait souffrir davantage qu'une petite écorchure de rien du tout. Mais non, tu ne dois surtout rien savoir. Tu ne comprendrais pas de toute façon. Personne ne peut comprendre.

Nous sortons des toilettes, moi devant, elle derrière. Je veux prendre le couloir à droite, mais elle me saisit les épaules et me fait pivoter dans le sens inverse.

– On va montrer ta blessure à une infirmière, reprend-elle en m'entraînant vers le bureau au fond du corridor.

– Mais non ! L'eau et le savon, c'est bien assez !

Malgré ma protestation, elle interpelle une jeune femme en uniforme bleu ciel et lui raconte ma mésaventure.

L'infirmière me sourit, pose les documents qu'elle a dans les mains et s'avance vers une boîte de gants de latex pour en enfiler une paire. Puis elle s'empare d'une bouteille remplie de désinfectant et écarte doucement ma mèche pour me nettoyer le front. Je grimace un peu. Ça pique !

– C'est très superficiel, ne t'en fais pas, me dit-elle d'un ton rassurant.

Puis, après un bref moment de silence, elle me demande :

– Tu rends visite à quelqu'un ?

Je hoche la tête. Une larme se met à couler sur ma joue. Ça doit être à cause de l'odeur du désinfectant... Je l'efface du bout de l'index.

– Mon frère... Il est dans la chambre 214.

Elle se penche vers moi et murmure :

– Ne t'inquiète pas, ma belle ! Je suis certaine que tout va bien se passer.

– Comment vous pouvez le savoir ? Vous n'êtes pas médecin !

Mon cri a jailli, malgré moi. J'ai les nerfs à fleur de peau. Ça fait trois jours que Théo est dans le coma. Personne ne peut prédire quand il en sortira, même pas elle.

Je tourne les talons pour repartir au plus vite vers la chambre de mon frère. Dans mon dos, ma grand-mère excuse mon comportement auprès de l'infirmière.

Mon frère occupe le premier lit près de l'entrée. Un énorme bandage entoure sa tête et plusieurs tubes sont reliés à ses bras. Un goutte-à-goutte s'écoule lentement du sac de soluté à côté de lui. Des lignes vert fluo oscillent sur l'écran du moniteur cardiaque. Ses deux bras et sa jambe gauche, plâtrés, sont maintenus en l'air. Mon regard remonte à son visage... très pâle, sauf pour l'écorchure rougeâtre sur sa joue. Il a les yeux fermés. Ma mère est à ses côtés, aussi blême que lui. Ça fait trois jours et trois nuits qu'elle veille sur mon frère sans prendre de repos. Elle est épuisée et elle ne mange pas beaucoup.

Bah ! Ça ne changerait rien si elle tombait malade...

Mais non, c'est pas vrai ! Pourquoi est-ce que mon esprit dit des choses que je ne pense pas au fond de moi ? C'est comme si je ne pouvais plus rien ressentir, ni pour elle ni pour moi. Toutes mes émotions sont concentrées sur mon frère.

— Caroline, il faut que tu ailles te reposer, dit ma grand-mère en entrant derrière moi. Je vais rester près de Théo.

— Paul n'a pas encore appelé ! répond ma mère d'une voix tremblante où perce la colère. Son fils lutte pour sa vie et il ne trouve pas une seconde pour retourner mes messages.

— M'man... c'est pas le moment !

Ma phrase s'est envolée sur un ton haut perché. Ma mère se tourne vers moi, des larmes plein les yeux. J'ai l'impression qu'elle se demande si je suis responsable de ce qui est arrivé à Théo. Pourtant, elle n'était pas là au moment de l'accident. C'est idiot, mais je ne peux m'empêcher de penser qu'elle sait.

Et elle a raison, c'est ma faute... D'ailleurs, tout est toujours ma faute !

Quand papa et elle se sont séparés, il y a quatorze ans, j'avais un mois. Mon père menait une double vie. Ma mère a découvert qu'il avait eu un enfant avec sa maîtresse et elle l'a fichu à la porte. Son autre fille, Salomé, est née six mois avant moi. La vie de ma mère aurait été plus facile sans moi, c'est clair. Elle a dû s'occuper toute seule d'un bébé naissant et de Théo qui n'avait que trois ans.

Salomé... tu parles d'un prénom nul ! Chaque fois que je l'entends, même si on ne parle pas d'elle, j'ai des envies de lui couper la tête. C'est sa faute si j'ai perdu mon père ! Quand je pense à elle, à lui, mes idées s'embrouillent... Je ne la connais pas, ne l'ai jamais vue et pourtant je la déteste.

Où j'en étais déjà ? Ah oui. Ma mère s'est donc retrouvée seule et ma grand-mère est venue l'aider à la maison. Ma mère ne travaillait pas, à l'époque. Ç'a été l'enfer pour nous faire vivre, surtout que mon père n'avait pas un emploi très payant et qu'il ne pouvait pas subvenir aux besoins de deux familles. Ma mère et lui n'étaient pas mariés, alors elle n'a pas eu d'argent quand il a choisi d'aller vivre avec Mélanie et Salomé. Et ma mère a décidé de ne pas lui réclamer de pension alimentaire. Enfin, c'est ce que j'en ai déduit, parce qu'on ne parle pas vraiment de ça à la maison. Ma grand-mère me dit toujours qu'il vaut mieux éviter les « sujets qui fâchent ». Ouais, surtout ceux qui fâchent ma mère !

Quelques mois après leur séparation, maman a fini par se dénicher un boulot de femme de ménage dans une compagnie, un travail qu'elle a gardé pendant quatre ans. Ensuite, elle a bénéficié du chômage, puis de l'aide sociale, jusqu'à ce qu'elle trouve un poste de vendeuse de souliers dans un grand magasin du centre-ville. Mais c'était insuffisant pour nourrir trois bouches, alors elle a pris un deuxième emploi à temps partiel, le soir. Elle partait tôt et rentrait tard. Elle était épuisée. Nous l'entendions souvent pleurer. Alors, Théo et moi, on se faisait tout petits dans nos lits, pour ne pas la fatiguer encore plus. Un jour, quand j'avais huit ans, je l'ai entendue dire à ma grand-mère que si je n'étais pas née, elle aurait pu s'en sortir mieux avec un seul enfant... que deux, c'était trop !

Celle de trop, eh bien, c'est moi... Depuis ce temps-là, j'essaie de me faire invisible, de ne pas la déranger, d'en demander le moins possible. Moi, je l'aime, mais elle... parfois je me le demande. Puisque ce n'est pas une femme qui exprime beaucoup ses émotions, nous vivons comme deux personnes qui ne se connaissent presque pas.

Bref, tout ça pour dire que ma mère n'est pas souvent à la maison, et que Théo et moi on fait pas mal ce qu'on veut, sans recevoir beaucoup d'attention de nos parents.

Une chance qu'il y a Grand-Maman pour se soucier de nous. Je l'adore ! Malheureusement, elle habite loin de chez nous et elle n'a pas de voiture.

Quant à mon père... Parfois, je me demande s'il est toujours en vie. En quatorze ans d'existence, je crois que je ne l'ai vu qu'une ou deux fois quand j'étais petite, mais je n'en suis pas sûre. On ne se connaît pas. Il est un peu plus proche de Théo. Quand mon frère était enfant, il l'emmenait parfois la fin de semaine pour faire des activités entre gars. Moi, il ne m'a même jamais offert de passer une seule journée avec lui. Pfff !

Pour m'empêcher de ruminer ma colère plus longtemps, je tourne mon regard vers mon frère, espérant un signe, un battement de cils, une grimace de douleur, un frisson, quelque chose qui nous dise qu'il est là, qu'il nous entend, qu'il va bientôt revenir à lui.

J'hésite entre m'approcher du lit et retourner dans le corridor. Si Théo est dans cet état-là, c'est à cause de moi. S'il s'en sort, je sais que ce ne sera plus jamais pareil entre lui et moi. Il a failli mourir par ma faute !

Une autre larme glisse sur ma joue. Je ravale un sanglot. La douleur dans ma poitrine est tellement intense. Pourtant, je n'ai pas le droit de me plaindre quand je pense à ce qui attend mon frère. Je suis allée voir sur Internet... S'il sort du coma, il y a un risque qu'il reste légume. Et ça, je ne me le pardonnerais jamais !

- 2 -

L'ACCIDENT DE THÉO

Trois jours plus tôt

— Donne-moi ça, t'as assez joué !

J'arrache la manette de la Xbox des mains de Théo. Il m'énerve à toujours vouloir tout contrôler sous prétexte qu'il est l'aîné ! Sa main s'abat aussitôt sur la mienne pour reprendre l'objet.

— J'ai pas fini ma partie.

— Toi, toi, toujours TOI ! C'est comme si je n'existais pas dans cette famille !

Cette fureur intérieure me rend quasi hystérique. D'ailleurs, depuis quelques mois, j'ai de plus en plus d'accès soudains de colère, je m'en rends bien compte. Pour presque rien, parfois. Qu'est-ce qui ne va pas avec moi ?

D'un mouvement brusque, je me lève et m'élance pour lui décocher un coup de pied dans le tibia. Mais il me voit venir et déplace rapidement sa jambe. Résultat : mes orteils entrent en contact avec la patte du sofa. Mon cri trahit ma douleur.

Je m'apprête à lui sauter au visage lorsqu'une idée me traverse l'esprit et m'immobilise. L'image d'un événement survenu quelques jours plus tôt... Oh ! Ça, ça lui fera plus de mal ! Je n'hésite pas une seconde.

— Au lieu de perdre ton temps à jouer, tu ferais mieux de t'occuper de ta blonde...

Mon air ironique n'échappe pas à Théo. Quand j'affiche ce petit sourire en coin, il comprend que je sais quelque chose qu'il ignore.

— Qu'est-ce qu'Alicia a à voir là-dedans ?

Je suis fière de moi, j'ai capté son attention.

— Ta belle, ta gentille, ta douce Aliiiiicia, tu ne devineras jamais avec qui je l'ai vue vendredi soir, au cinéma...

Ma phrase reste en suspens, je veux le laisser un peu dans l'incertitude. Il fronce les sourcils. Ça y est ! Il ne me reste plus qu'à lui balancer mon direct en plein cœur. Il ne dit pas un mot, mais je sens bien qu'il attend la fin de ma phrase, alors sans réfléchir, je laisse tomber avec le plus de méchanceté possible :

– Ta blonde était dans les bras de Félix Lavoie ! Ç'avait l'air passionné, leur affaire !

J'en rajoute en mimant une étreinte enflammée et en gémissant de plaisir.

Comme piqué par une guêpe, Théo bondit sur ses pieds. Son visage est rouge, ses narines palpitent, ses yeux sombres lancent des éclairs. J'ai presque peur qu'il me gifle. Mais il passe devant moi comme s'il ne me voyait pas. Je m'affale sur le sofa pendant qu'il se précipite vers la porte, qu'il claque en sortant. J'entends le bruit de sa planche à roulettes qui s'éloigne.

Satisfaite, je change le DVD dans le lecteur de la console de jeu, je monte le volume, puis je me mets à danser comme une déchaînée en imitant les mouvements que je vois sur l'écran de la télévision. J'aime bien faire enrager mon grand frère. Je l'adore, mais je ne peux m'empêcher de le provoquer.

Je danse encore quand des lumières rouges clignotantes attirent mon regard vers la fenêtre. Je m'approche et j'écarte le rideau. Un camion de pompier est immobilisé dans la rue, non loin de chez nous. Plusieurs voisins se massent déjà aux alentours. J'éteins le son du téléviseur. Mon cœur bat à toute vitesse, mes mains tremblent. Un désagréable pressentiment m'envahit, et je n'ose pas sortir pour voir ce qui se passe.

Je prends même le temps de fermer la Xbox et d'aller enfiler un chandail dans ma chambre.

Finalement, je passe le pas de la porte et me dirige vers le véhicule de secours. J'aperçois deux femmes. Je les connais de vue ; des voisines, elles habitent au rez-de-chaussée de l'édifice à logements situé à deux maisons de notre triplex.

J'avance vers elles avec l'étrange impression de flotter. Non, c'est plutôt comme si mon corps bougeait, alors que mon esprit refusait de quitter la tranquillité et la sécurité de notre appartement. Une des femmes se détache du groupe et vient vers moi, les mains tendues, le visage triste. Par-dessus la sirène du camion de pompier, j'entends celle d'une ambulance qui arrive. Cette fois, mes jambes se mettent à courir malgré moi. La planche à roulettes de mon frère est là, près d'un arbre. J'aperçois une de ses chaussures sur la piste cyclable. Qu'est-ce que... ?

Quelqu'un me retient par le bras pour m'empêcher d'avancer et de voir mon frère gisant sur l'asphalte. Parce que j'en suis sûre maintenant, Théo s'est fait frapper par une voiture. Le véhicule est là, son aile gauche est cabossée, son pare-brise est étoilé et le conducteur, un homme dans la quarantaine, se tient la tête à deux mains, assis sur le bord du trottoir. Il sanglote.

Un hurlement surgit du plus profond de mon être :

– THÉOOOOOO !

Mes jambes me lâchent, je m'écroule sur les genoux, en larmes.

L'ÂME À VIF

— Noooooooon !

Une voisine s'accroupit près de moi et me berce doucement, pendant que les sanglots continuent à m'arracher des soubresauts. Un policier vient nous rejoindre.

— Il est... mort ? lui demandé-je.

— Non, mais c'est grave, me répond-il sur un ton très professionnel.

Mon cœur fait trois tours. Mon frère n'est pas mort ! Je soupire et un certain soulagement m'envahit, mais en même temps je ne me sens pas complètement rassurée.

— On va prendre soin de lui, ne t'en fais pas. Où habites-tu ? Est-ce que tes parents sont au travail ? me questionne le policier.

D'un geste d'automate, je fais oui de la tête et je désigne du doigt le triplex où nous vivons. Je ne comprends pas... Mon frère est tellement prudent d'habitude. Il regarde toujours deux fois avant de traverser la rue pour rejoindre la piste cyclable.

Tout à coup, le bruit de son *skate* me revient en tête. Il roulait à toute vitesse.

Si je n'avais pas fait exprès de le blesser en lui parlant de sa blonde et de Félix Lavoie, rien de tout ça ne serait arrivé. Et Théo serait encore en train de jouer avec la Xbox dans le salon. Mes pleurs redoublent lorsque la réalité me frappe de plein fouet.

— C'est ma faute ! C'est ma faute !

* *
*

Les policiers ont réussi à joindre ma mère à son travail. Théo avait son numéro dans son portefeuille. Heureusement, parce que moi, j'étais trop anéantie pour m'en souvenir.

Et maintenant me voilà, à l'entrée de la chambre d'hôpital, avec ce maudit pressentiment qui me murmure que Théo va devenir légume. Je n'aurais jamais dû naître, c'est moi qui devrais être à sa place, clouée dans un lit d'hôpital.

Ma grand-mère me pousse jusqu'au chevet de mon frère. Veut-elle me punir en me montrant de plus près le résultat de ma bêtise et de ma méchanceté ? Je détourne les yeux. Mon regard tombe sur un gobelet de plastique vide abandonné sur la tablette à la droite de Théo. On dirait qu'il m'appelle. Je me sens attirée vers l'objet.

Ma main se referme sur le verre que je glisse en cachette dans la poche kangourou de mon chandail. Tout cela s'est déroulé si vite que, pendant un moment, je me demande ce qui m'a pris de m'en saisir.

L'ÂME À VIF

– Théo, mon grand, murmure ma mère. Ouvre les yeux, je t'en supplie...

Elle caresse doucement la main de mon frère, mais il ne réagit pas à son contact.

Tout à coup, mes jointures me font mal tellement je serre fort le plastique rigide. Aïe ! Je viens de me couper à l'index. Je porte aussitôt mon doigt à ma bouche. Mon sang a un goût de fer.

Ma mère fronce les sourcils. Elle a surpris mon geste, mais ne comprend pas ce que je fais. Je me hâte de replonger ma main dans ma poche.

Plantée près du lit comme un piquet, je ne sais ni quoi dire ni quoi faire. Je voudrais seulement sortir de la pièce, retourner aux toilettes, seule.

Un à un, je passe mes doigts sur les bords tranchants du verre brisé, je le réduis en miettes dans ma poche. La pression est douloureuse, mais cette fois, elle me procure une étrange satisfaction. Difficilement descriptible. Exaltante. Je n'ai jamais expérimenté ce genre de sensation.

Je me concentre un peu plus sur mes doigts et je m'aperçois que, pendant quelques secondes, j'en oublie presque l'endroit où je suis et, surtout, pourquoi j'y suis. Je ressens d'abord une impression de vide, suivie d'une douce chaleur.

Peu à peu, mon stress semble s'atténuer. Voilà bien longtemps que je n'ai ressenti un tel soulagement au fond de moi. C'est... comment dire... réconfortant.

Inconsciemment, je laisse échapper un soupir.

— Tu t'impatientes ? se choque ma mère en se méprenant. Franchement, c'est pas toi qui es dans le coma ! Ça ne te fait rien de voir ton frère dans cet état-là ?

C'en est trop. Je quitte la chambre sans un mot. Où aller ? Les toilettes ? Non, ma grand-mère risque de m'y rejoindre dans pas longtemps. J'appelle l'ascenseur. J'ai besoin d'air.

Je me retrouve dehors, devant l'hôpital. J'inspire à pleins poumons, et pourtant on dirait que l'air n'entre pas. Je me sens étouffer. La douleur en moi revient, plus vive, plus présente, plus aiguë.

Lorsque j'enfonce les écouteurs de mon lecteur mp3 dans mes oreilles, un picotement au bout de mes doigts me ramène à la réalité. Je ne peux plus détourner mes yeux des fines entailles que je me suis faites, semblables à celles provoquées par une feuille de papier. La sensation de bien-être me revient par bouffées. Je sors le verre totalement détruit de ma poche.

— Tu peux le jeter ici !

Je sursaute. Un responsable de l'entretien ménager se tient devant moi, avec un sac-poubelle ouvert. Mes doigts se referment sur les bouts de plastique comme s'il s'agissait d'une bouée de sauvetage. Non, je ne veux pas m'en séparer ! L'homme me dévisage. Avec une certaine réticence, je laisse tomber les morceaux du gobelet dans le sac. Je me sens dépossédée, comme s'il venait de me voler. Pourquoi cette panique ? Je me mets à trembler.

— Rentre, tu vas prendre froid ! me lance-t-il.

Je n'ai même pas remarqué que la température a chuté. C'est la fin d'octobre. Ce sera l'Halloween à la fin de la semaine. Est-ce que Théo aura repris conscience ? Qui va m'aider à décorer la maison et à distribuer les bonbons aux enfants de notre rue ? Sûrement pas ma mère. Je l'ai entendue dire à Grand-Maman qu'elle devait retourner au travail rapidement, sinon elle risquait d'être congédiée. Ma grand-mère a promis de venir passer quelques jours avec nous, parce que, selon elle, je ne peux pas rester toute seule après un tel drame, surtout pas à quatorze ans. Pourtant, j'ai souvent été toute seule depuis que j'ai neuf ans, et je sais me débrouiller.

Qu'on me laisse tranquille !

- 3 -

L'EXACTO

Grand-Maman s'est installée avec nous depuis que ma mère a repris son travail. Finalement, je suis contente qu'elle soit là. Je sais que rien de mal ne peut m'arriver. J'ai l'impression qu'elle me comprend. Même si je ne lui dis rien de mes angoisses, de mes questionnements, sa présence me rassure et me réconforte.

Ma mère, elle, je la vois encore moins qu'avant. En fait, je ne la vois plus du tout. Volontairement. Elle part au travail à sept heures trente et dès que j'entends sa voiture démarrer, j'attends cinq minutes, puis je sors du lit. Mes cours commencent à huit heures trente et j'essaie de ne pas arriver trop en avance, parce que je ne veux pas me faire poser de questions au sujet de mon frère. Heureusement, je passe pas mal inaperçue depuis quelque temps. Il faut dire que je sais me faire discrète. Hormis Laurianne, ma *best* depuis la maternelle, je n'ai pas d'amis proches. J'avais bien quelques copines avant, mais depuis un an, je préfère m'isoler. Aller à la bibliothèque au lieu de rester discuter à la cafétéria avec les autres, filer le plus vite possible après la cloche pour retourner à la maison, ne plus participer aux activités organisées par l'école ou par d'autres élèves... Ça s'est fait graduellement. Au début, quelques filles m'ont posé des questions sur mon comportement, puis peu à peu, comme je leur répondais abruptement, elles ont fini par ne plus s'occuper de moi. C'est ce que je voulais. Enfin, je crois... Seule Laurianne est restée. Pourquoi ? Parce qu'elle sent que je ne vais pas bien et elle ne veut pas me laisser tomber ? Est-ce qu'elle croit que je traverse une mauvaise passe et que tout va s'arranger bientôt ? Je ne le lui ai pas demandé, mais je suis contente de sentir qu'elle est là pour moi. Tout simplement. Même si je ne le lui dis pas...

Le soir, après son travail, ma mère va à l'hôpital passer un peu de temps avec Théo. Il y a au moins une bonne nouvelle dans mon malheur : mon frère ne sera pas légume, puisqu'il est sorti du coma le lendemain de ma dernière visite. Il doit encore être hospitalisé quelques jours, et ensuite, il reviendra à la maison.

Quand ma mère rentre, vers vingt-deux heures, je fais semblant de dormir. Hier, elle a frappé doucement à ma porte, mais je n'ai pas répondu. Elle n'a pas insisté. Je sens bien qu'elle se préoccupe de moi, mais je n'arrive pas à lui parler. Comment mettre des mots sur ce que je ressens au fond de moi, alors que je ne le sais pas moi-même ? Il faut qu'on me laisse du temps pour comprendre...

Aujourd'hui, Grand-Maman veut qu'on évide des citrouilles pour les mettre de chaque côté du balcon. Elle essaie de me distraire.

– Faut qu'on mène une vie normale, malgré l'absence de Théo, me rabâche-t-elle chaque jour.

C'est quoi, une vie normale ? Ma vie était déjà triste avant l'accident, là c'est encore pire ! Comme j'aimerais rire et m'amuser avec les autres... Pourquoi est-ce que je m'en sens incapable ? J'ai toujours une boule dans la poitrine. Une émotion qui me ronge et que je ne parviens pas à identifier. Au début, je n'y ai pas tellement fait attention, mais maintenant je sens que ça prend des proportions énormes. Pourtant, je n'arrive pas à en parler. Ni à Grand-Maman, ni à Théo, ni à Laurianne, ni à ma mère. Parfois, j'ai l'impression que cette « chose » vit en moi comme un monstre, une bête, et qu'elle va me rendre folle. Et maintenant, il y a l'accident de Théo que j'ai provoqué.

Mon frère, c'est mon ami. Avec ses airs de je-sais-tout qui joue à l'adulte, il sait me faire rire. Il me manque... En même temps, j'appréhende son retour. Que va-t-il me dire ? Je me sens déjà responsable de son accident. S'il se détourne de moi à cause de ce que je lui ai fait, je ne le supporterai pas.

Et puis, il ne le sait pas encore, mais sa blonde va le quitter. Je l'ai croisée au dépanneur et elle était encore dans les bras de Félix. Elle m'a demandé des nouvelles de Théo, parce qu'elle n'est allée le voir qu'une seule fois à l'hôpital. Quand mon frère va comprendre qu'Alicia le laisse, il va être dévasté et il en rejettera peut-être la faute sur moi. Après tout, s'il n'avait pas eu son accident, il aurait pu reconquérir sa blonde... J'ai toujours l'impression que c'est moi qui déclenche les catastrophes.

Pourquoi mes pensées partent-elles dans tous les sens ? Je manque totalement de concentration et ma grand-mère le remarque.

– Ma chérie, ta pauvre citrouille n'aura pas de nez ni de bouche d'ici demain si ça continue...

Sans trop savoir ce que je fais, j'ai déjà percé les yeux à l'aide d'un couteau de cuisine. Pourquoi est-ce qu'ils me regardent avec ce petit air moqueur ?

Je plante la lame pour découper la bouche que j'ai tracée au feutre noir. Pendant une fraction de seconde, j'ai l'impression que c'est ma chair que je coupe. La tête me tourne. Le couteau tremble dans ma main. Grand-Maman me le retire.

– Attends, tu vas te blesser si tu t'y prends comme ça ! Tiens-le fermement et laisse glisser doucement la lame sur le trait de crayon. N'appuie pas trop fort, sinon tu vas passer tout droit et te retrouver avec une citrouille qui ressemble au Joker de *Batman* !

Elle me sourit et, voyant mon hésitation, découpe la bouche elle-même, en prenant soin de laisser les deux petites dents noires habituelles.

Mon regard ne peut se détacher de la lame. Je ressens comme un frisson d'excitation à la voir glisser. Et tout à coup, je reconnais cette sensation. La même que j'ai eue avec le gobelet de plastique, à l'hôpital. Une bouffée de chaleur envahit ma poitrine.

Nous terminons nos citrouilles, en silence.

L'ÂME À VIF

Pendant que ma grand-mère les pose sur le balcon, je débarrasse la table. Ma main s'arrête sur le couteau... Je la retire aussitôt comme s'il m'avait brûlée. Je lave les ustensiles et les range dans le tiroir.

Et c'est là qu'il me saute aux yeux. Le manche rouge d'un exacto. Je me mets à trembler comme une feuille en le glissant dans la poche de mon jeans.

*   *
*

Ce soir-là, je m'installe au salon avec ma grand-mère pour écouter un film d'horreur. J'ai toujours adoré ça ! Mon amie Laurianne dit que je suis folle. Elle, elle préfère les films de filles. Pouach ! Je trouve ça trop plate quand l'histoire dégouline de bons sentiments...

Folle... Est-ce que Laurianne aurait raison ? Est-ce que j'ai une maladie mentale ? Sinon, pourquoi est-ce que je suis autant attirée par tout ce qui coupe, ces temps-ci ?

Un cri de ma grand-mère me sort de ma bulle. Ce qui se passe à l'écran l'horrifie. Elle ferme la télévision sans prévenir.

– Je ne comprends pas que tu puisses regarder de telles atrocités ! Ça m'étonne que tu ne fasses pas de cauchemars.

Au moment où j'ouvre la bouche pour répondre, j'entends la portière de la voiture de ma mère. Je ravale mes protestations. La petite horloge posée sur la bibliothèque indique vingt et une heures vingt-sept.

Oups ! Elle rentre plus tôt que d'habitude ! Je bondis sur mes pieds, prête à filer vers ma chambre, mais ma grand-mère me retient par la main.

– Reste un peu ! Tu n'as pas vu ta mère depuis plusieurs jours...

De quoi elle se mêle tout d'un coup ?

Je ne veux pas lui faire de peine, mais je n'ai surtout pas envie d'une discussion qui ne mènera nulle part. Ma mère n'a rien à me dire, et moi non plus. On ne se parlait déjà plus tellement avant l'accident de Théo, c'est pire maintenant, et ce n'est sûrement pas ce soir qu'on va briser le mur de silence qui se dresse entre nous.

– J'ai un devoir à finir pour demain, j'avais oublié !

Je me précipite vers mon refuge et me jette à plat ventre sur mon lit. Des larmes commencent à rouler sur mes joues. Je me sens délaissée. Pourtant, c'est moi qui fuis la compagnie de ma famille et de tout le monde en général. Arrrgh ! Qu'est-ce que j'ai ?

Ouch ! C'est donc bien inconfortable ! Je détache mon jeans pour l'enlever, lorsque je me souviens de l'exacto glissé dans la poche avant. C'est ça qui rentrait dans la peau de ma cuisse.

*   *
*

Assise à mon bureau, j'essaie tant bien que mal de faire mes devoirs, mais la concentration n'y est pas. Je suis sans arrêt dans la lune... Tiens, me voilà même en train de compter les crayons qui se trouvent dans mon étui. De remuer des feuilles, de faire un peu de rangement. L'exacto est posé devant moi.

Ma main se referme dessus. Je le tourne et le retourne entre mes doigts. Sa présence au creux de ma paume me rassure.

Clic-clic ! D'avant en arrière, la lame va et vient. Clic-clic ! De plus en plus vite. Clic-clic ! J'entends mes dents grincer tellement je serre les mâchoires. Je voudrais m'ouvrir le ventre pour en arracher cette boule énorme qui me fait mal.

La lame est visible. Je l'approche du bout d'un de mes doigts. Des frissons me parcourent. J'anticipe la douleur de la coupure, mais en même temps, elle me paraît libératrice. Juste un petit trait, tout doucement, juste pour voir...

Après tout, ce n'est rien comparé à la souffrance de Théo. Des côtes cassées, le fémur brisé à plusieurs endroits, les bras aussi. Tout ça à cause de moi ! Je me dégoûte. Si je n'existais pas, rien de tout ça ne serait arrivé et mon frère ne serait pas dans cet état lamentable.

La lame glisse lentement sur le bout de mon doigt. Quelques gouttes de sang jaillissent. Je ne sens rien. Je me sens calme. Très calme. Incapable de réagir, je les regarde tomber sur la feuille devant moi. C'est bizarre ; je me sens mieux tout à coup, comme si la boule dans mon ventre sortait en même temps que le sang qui coule. Je ferme les yeux. La tête me tourne un peu. C'est quand même curieux, je ne supportais pas de voir du sang avant, encore moins le mien. À la télévision ou au cinéma, ça ne me dérange pas parce que je sais que ce n'est pas vrai.

Quand j'étais petite, si je m'égratignais en tombant, je hurlais comme si on m'avait coupé la jambe. Un petit saignement de nez, et j'étais au bord de l'évanouissement. Mais là, c'est le vide total. Comme si je n'avais plus aucune émotion. Ni douleur, ni tristesse, ni honte, ni culpabilité. Rien.

Ça fait longtemps que je ne me suis pas sentie en paix avec moi-même comme maintenant.

Deux coups brefs viennent de retentir à ma porte. C'est sûrement ma mère. Pas moyen d'être tranquille cinq minutes ! Laissez-moi profiter de ce bien-être qui m'envahit.

Je vois la poignée de la porte qui bouge. Merde, j'ai oublié de la verrouiller ! Je me hâte de glisser ma main blessée sous ma cuisse. Personne ne doit voir que je saigne.

– Ange ? Je peux entrer ?

Je hais ce surnom. Je déteste tous les surnoms, d'ailleurs. Je ne suis pas un ange. Je lui ai dit des centaines de fois de ne pas m'appeler comme ça. Rien à faire. Elle s'obstine. Pour me faire rager, Théo l'emploie aussi quand on se chicane. Grand-Maman, elle, a compris que ça me fait mal. Pour elle, je suis Angélique, un point c'est tout.

Angélique, c'est pourtant pas compliqué !

Je ne réponds pas et me contente de ramasser mes vêtements pour les jeter dans mon panier de linge sale. Ma mère entre sans attendre mon autorisation. Comme toujours !

– J'ai une bonne nouvelle à t'annoncer, poursuit-elle, les yeux remplis d'eau. Ton frère sera de retour à la maison dans trois semaines. C'est super, non ?

Je me mords la lèvre inférieure, sans répondre.

– Tu ne dis rien ? Ça ne te fait pas plaisir ?

Cette fois, je sens la colère percer dans sa voix.

Je persiste à garder le silence. Même si mon cœur a bondi de joie à cette nouvelle, la boule d'angoisse est aussitôt venue gâcher mon plaisir. J'ai hâte de revoir Théo à la maison, mais j'ai aussi très peur. Depuis qu'il a repris conscience, il n'a rien dit à propos de notre dispute d'avant son accident. Mais va-t-il continuer à se taire une fois de retour dans un environnement familier ? S'il dit à ma mère que tout est ma faute... autant mourir ! Ma vie va devenir infernale.

– T'es rien qu'une égoïste ! lâche ma mère, furieuse. Tu ne penses qu'à toi et tu profites de la situation ! Tu crois que je n'ai pas vu ton manège, avec ta grand-mère ? « Grand-Maman, fais-moi mon gâteau au chocolat préféré. Grand-Maman, pourrais-tu laver mon jeans jaune ? » Grand-Maman par-ci, Grand-Maman par-là ! Tu utilises ma mère comme tu le faisais avec Théo, sans jamais te demander s'ils ont vraiment envie de satisfaire toutes tes envies. Tu n'es qu'une enfant gâtée qui n'a aucune reconnaissance !

Ma mère m'étourdit avec ses reproches. Je suis carrément bouche bée, incapable de me défendre. Comment peut-elle dire que je profite de Grand-Maman ? Elle n'est jamais là ! Elle m'accuse sans savoir ! C'est tellement injuste !

Quant à Théo, c'est vrai que j'ai peut-être un peu abusé... mais si ma mère ne nous abandonnait pas toute la journée sept jours sur sept, mon frère n'aurait pas pris son rôle de protecteur aussi au sérieux. C'est lui qui a toujours voulu m'accompagner à l'école et à toutes mes activités, même au primaire. Qui m'a toujours défendue quand les autres me faisaient des remarques méchantes sur mes vêtements ou ma coiffure. Et même quand je me disputais avec Laurianne pour des raisons idiotes, il nous aidait à nous réconcilier. Puisqu'il n'y a pas d'homme dans la maison, il assume ce rôle et je sais qu'il aime ça.

Toutefois, je décide de ne pas argumenter. J'en ai assez de la chicane. J'ouvre la bouche pour dire à ma mère à quel point ça me fait plaisir de savoir que mon frère va revenir chez nous, mais elle m'a déjà tourné le dos et elle sort de ma chambre en claquant la porte. Les larmes que j'avais réussi à combattre pendant qu'elle me parlait se mettent à couler. C'est le déluge. Mon cœur déborde. Je ne voulais pas que ça se passe comme ça entre elle et moi. Soit je ne lui parle pas, soit je suis bête avec elle. Pourquoi ?

Sur mon bureau, l'exacto semble rire de moi.

4

GRIFFES DE CHAT

Trois semaines plus tard

— Ange ! C'est quoi, ces marques sur tes bras ? me balance ma mère au petit-déjeuner.

Argh ! J'ai oublié de cacher les petites coupures que je me suis faites hier soir avec une lame du rasoir de mon frère. Ce matin, ma mère est en congé, alors je suis obligée de déjeuner pendant qu'elle est là... Quand j'ai tendu le bras pour prendre le pot de confiture, la manche de mon pyjama a remonté, juste sous son nez.

— Oh, ça ! C'est rien.

Je commence à être bonne pour mentir quand il est question de protéger mon secret.

— C'est à cause des chatons de Laurianne. Je ne croyais pas qu'un bébé chat pouvait avoir des griffes aussi pointues.

Vite, changer de sujet !

– Grand-Maman n'est pas levée ?

– Elle est partie tôt, elle avait un rendez-vous chez son médecin.

– Ah, OK.

Comme je n'ai rien de plus à dire à ma mère, je file sous la douche, puis je m'habille, je ramasse le lunch que ma grand-mère m'a préparé et je pars pour l'école. J'avais hâte de quitter l'atmosphère de la maison... C'est lourd quand ma mère est là !

Ce n'est pas que je ne l'aime pas, mais je n'arrive pas à oublier qu'elle me considère comme celle-qui-est-de-trop. Et puis, on n'a pas grand-chose en commun, tant physiquement qu'en ce qui concerne nos champs d'intérêt personnels... Ma mère est grande, plutôt élancée, blonde avec les yeux bleus. Elle se maquille et se coiffe toujours parfaitement, parce qu'elle aime suivre les tendances que l'on voit dans les magazines. Comme me le dit souvent Laurianne, c'est une belle femme. Moi, je me trouve ordinaire. Pas laide, pas belle non plus. J'ai les cheveux châtain pâle, les yeux gris de mon père (paraît-il), je ne suis ni petite ni grande, juste normale, et j'ai environ cinq kilos en trop. Je n'aime pas me maquiller, encore moins porter des vêtements qui attirent l'attention. Je me sens plutôt à l'aise en jeans ou en pantalon de jogging.

Je ne pensais pas dire ça mais, d'une certaine façon, j'ai hâte que mon frère revienne à la maison, parce que ma mère va me lâcher un peu... J'ai l'impression qu'elle est toujours sur mon dos, à me surveiller, depuis l'accident. Est-ce qu'elle se doute que c'est ma faute ? En tout cas, mon frère ne lui a encore rien dit. Merci, Théo !

À l'école, j'essaie de me faire encore plus discrète que d'habitude. Beaucoup de gens sont au courant de l'accident de mon frère, mais je ne veux pas en parler. Je n'y arriverais pas sans pleurer, et il n'est pas question que je fasse un *show* de larmes devant tout le monde.

Soudain, j'entends mon nom de famille. Quelqu'un, dans la rangée de cases de l'autre côté de la mienne, l'a prononcé. Je tends l'oreille.

– Oui, t'as raison. Il paraît que Théo Laurier doit rentrer chez lui cette semaine, lance une voix de fille qui m'est inconnue. J'ai hâte de le revoir dans les corridors, il est tellement beau !

Je me concentre pour écouter, malgré le bruit des étudiants qui s'activent autour de moi.

– J'ai entendu dire qu'Alicia Vézina l'a laissé pour un autre gars. Maintenant qu'il est célibataire, je crois bien que je vais tenter ma chance. Dès qu'il sera remis sur pied, je l'invite à mon party d'anniversaire ! C'est en mars, il devrait remarcher à ce moment-là, non ?

– Si sa sœur n'était pas si renfermée, tu aurais pu lui demander de te le présenter, mais elle est vraiment trop bizarre ! enchaîne une seconde fille.

– Bizarre, tu dis ? Elle n'a qu'une seule amie, on ne se demande pas pourquoi ! Et t'as vu comment elle s'habille ? Pfff ! Un vrai sac de patates ! Elle peut bien être célibataire, y a pas un gars normal qui voudrait d'elle comme blonde, il aurait trop honte de s'afficher à ses côtés !

Le « sac de patates » en question sent la colère l'envahir... Mes poings se serrent. Ces filles que je ne connais même pas me jugent et parlent de moi dans mon dos ! Soudain, je vois rouge.

Sans réfléchir, je bondis dans leur rangée de casiers comme un diable et j'attrape l'une des filles par les cheveux. Je tire de toutes mes forces. Elle pousse un hurlement. Après une seconde de surprise, son amie se jette sur moi et essaie de nous séparer. Mes adversaires sont plus grandes que moi (probablement en cinquième secondaire, comme Théo), plus fortes aussi, mais ma rage est si vive que mes forces semblent décuplées. Les cris de douleur de la fille que j'agrippe font accourir d'autres élèves. Je tire encore plus fort et une grosse poignée de cheveux sombres me reste dans la main. C'est la cacophonie, mais j'ai l'impression que toute la scène se déroule dans un univers parallèle où je ne suis que la spectatrice de mes propres actes.

Je n'ai qu'une envie : faire souffrir tout le monde, les faire payer pour ma souffrance.

Finalement, épuisée par cette montée d'adrénaline et par l'effort physique fourni, je m'écroule en larmes au pied des casiers. La fille que j'ai agressée sanglote, elle aussi, et ses amies se hâtent de la conduire à l'infirmerie. Autour de moi, un cercle se forme.

— Elle est folle, cette fille ! s'écrie un garçon.

— Théo doit avoir honte d'être son frère ! enchaîne un autre.

Quelqu'un a dû prévenir le directeur car je le vois arriver à grands pas. Il m'ordonne de me relever, mais j'en suis incapable, je n'ai plus aucune force. Voyant que je n'obéis pas, il m'attrape sous les bras et me remet sur mes pieds. Je m'appuie contre une case. J'ai les jambes molles et la tête qui tourne. Il demande aux autres de s'écarter, ce qu'ils font sans protester, comme si j'étais un monstre capable de leur sauter dessus à tout moment. Qu'est-ce qui m'a pris ? Je ne suis pas comme ça. Je ne suis pas une batailleuse. Au contraire, je cherche toujours à me faire discrète. C'est cette rage, au fond de moi, qui ne me quitte plus...

J'aperçois Laurianne dans la foule. Elle est aussi blême qu'un fantôme. Vient-elle seulement d'arriver ou a-t-elle assisté à toute la scène sans intervenir ? Elle aurait pu prendre ma défense... C'est à ça que servent les amies, non ?

* *
*

Ma sentence est tombée. Je suis renvoyée de l'école pour trois jours. Et comble de l'horreur, c'est ma mère qui a dû venir me chercher dans le bureau du directeur. Mais j'ai échappé au pire, car personne n'a porté plainte à la police. Les parents de Mégane, la fille que j'ai agressée, voulaient le faire. C'est elle-même qui les a convaincus de ne rien intenter. Probablement pour garder ses chances avec mon frère... Pfff ! En plus, punition suprême, il va falloir que je m'excuse auprès de ma victime et que je la remercie d'avoir plaidé en ma faveur. Ouais !... Pour ça, il faudra d'abord qu'elle accepte que je l'approche à moins d'un mètre, et après ce qui vient de se passer, ce n'est pas près d'arriver.

Sur le chemin du retour, ma mère n'a pas cessé de me crier dessus. En gros, si je résume, elle se demande ce qu'elle a fait au bon Dieu pour avoir une fille qui se fourre toujours le nez dans les problèmes, qu'elle en a assez et que si je recommence, elle va faire intervenir la DPJ. Et bla bla bla !

Dès que la voiture est stationnée devant le triplex, j'ouvre la portière et cours vers notre appartement, ma clé à la main. Je claque la porte derrière moi, sans me préoccuper de ma mère qui me suit, et vais m'enfermer dans ma chambre.

À plat ventre sur mon lit, j'enfouis ma tête dans mon oreiller pour pleurer. Je perçois un vague bruit de pas derrière ma porte – sûrement ma mère –, mais elle ne frappe pas pour entrer.

J'ai l'impression d'être une moins que rien !

Une pulsion soudaine me force à me lever. Mon regard se dirige illico vers l'exacto rouge, qui n'a pas

50

quitté le dessus de ma commode depuis bientôt trois semaines. Je ne l'ai pas utilisé depuis tout ce temps. Il m'attire toujours comme un aimant. Je m'en empare pour faire avancer et reculer la lame d'un geste machinal... Puis je l'approche de mon poignet.

Tandis que j'y trace une fine entaille, la douleur irradie jusqu'au bout de mes doigts. Le mal qui m'envahit me prouve que je ne suis pas morte. Le sang coule, mais je continue. Froidement. Calmement. Elles ont raison, les filles de l'école, je suis peut-être en train de devenir folle...

Je n'appuie pas trop fort avec la lame. Je ne veux pas mourir, je veux vivre !

C'est assez bizarre à dire, mais je réalise que je peux contrôler l'intensité de ma souffrance mentale en provoquant une souffrance physique. Un sentiment de puissance se manifeste tout à coup. Mon cœur bondit de joie devant cette découverte.

Je ne me suis jamais sentie aussi vivante. Ce moment m'appartient totalement. Personne ne pourra me le retirer parce que je n'en parlerai jamais !

Ouf ! Sans m'en rendre compte, me voilà déjà avec deux entailles à chaque poignet... Comment faire pour que rien ne se voie ? Je ne dois pas oublier de porter des manches longues à partir de maintenant.

L'exacto toujours à la main, j'hésite à continuer. La satisfaction que j'en tire sera-t-elle la même ?

C'est la sonnerie de Skype qui me sort de ma transe. Qui peut bien m'appeler à cette heure, alors que je devrais être à l'école ?

– Salut, Angélique ! Ça va, toi ?

– Salut, Laurianne. Ouais, ça va ! T'es déjà chez toi ?

– J'avais rendez-vous chez le dentiste... t'as oublié ? Je viens de rentrer à la maison.

Laurianne porte une main à ses lèvres et je remarque qu'elle parle un peu croche à cause de sa bouche encore gelée.

– Qu'est-ce qui s'est passé tantôt, près des casiers ? me demande-t-elle d'emblée. Je suis arrivée juste avant que le directeur te traîne à son bureau. Les autres ont parlé d'une bataille...

– Je te raconterai plus tard. Là, j'ai pas trop envie d'en parler.

– T'es bizarre...

Ce mot me fait l'effet d'une insulte et j'ai l'impression que, à son tour, ma meilleure amie me traite de folle.

– Qu'est-ce que t'as ? Tu veux que je vienne te voir ? propose Laurianne.

– Non ! C'est rien. Je dois te laisser, ma grand-mère cogne à la porte de ma chambre. Bye !

L'ÂME À VIF

Je coupe la conversation avant qu'elle puisse ajouter un mot. Le bien-être que j'ai ressenti plus tôt s'est évaporé d'un coup avec l'appel de Laurianne. Déjà, la souffrance ressurgit en moi. Même ma meilleure amie me trouve étrange... Ça doit être vrai, puisque tout le monde le dit.

Tout ce temps, ma main n'a pas lâché l'exacto. Doucement, la lame glisse près des entailles précédentes. J'oublie ce que Laurianne m'a dit. Mon attention est entièrement consacrée à chaque millimètre que gagne la lame dans ma chair. Je soupire de satisfaction.

5

LE LATINO

Me voilà de retour en classe après trois jours de suspension. Je n'ai pas eu droit à un seul coup d'œil des autres élèves lorsque je suis arrivée devant l'école. J'ai croisé Mégane et ses amies dans la grande salle, elles m'ont totalement ignorée. C'est pas que je voulais qu'elles me dévisagent ou me crient des bêtises, mais leur indifférence me confirme que je ne suis rien pour personne, même pas pour mes ennemies.

– Hé, Angélique !

J'entends Laurianne qui court pour me rejoindre alors que j'emprunte, sans me retourner, le corridor qui mène à la bibliothèque.

– Tu ne m'as pas donné signe de vie depuis trois jours ! me reproche mon amie. Qu'est-ce qui se passe avec toi ?

Je continue d'avancer sans lui accorder un regard. Elle m'agrippe par le bras pour me forcer à lui faire face. Ouch ! Sa main me serre pile sur mes coupures ! Je retiens une grimace et secoue mon bras pour qu'elle retire sa main. Sa prise me fait vraiment mal, malgré l'épaisseur des manches de mon chandail. J'ai mis plusieurs pansements sur mes plaies, mais j'ai peur qu'elles se remettent à saigner et que quelqu'un se rende compte de ce que j'ai fait. Parce que malgré tout, j'ai quand même un peu honte.

C'est étrange... cette douleur-là ne me procure aucun sentiment de bien-être. Je ne réagis pas comme lorsque c'est moi qui me blesse volontairement...

– Hé, je te parle ! insiste mon amie. T'es fâchée ? Qu'est-ce que je t'ai fait ?

J'inspire profondément. Je ne comprends pas ce qui m'arrive, alors comment l'expliquer aux autres ? Même si elle est mon amie, j'ai peur que Laurianne me juge. Alors je préfère lui mentir.

– Laisse tomber, dis-je. Je n'ai pas le temps, je dois aller chercher un livre à la biblio pour finir un travail de français. On se retrouve dans la classe.

– Non, je ne laisse pas tomber ! Je suis ta *best* et tu m'inquiètes. Ton attitude est vraiment bizarre depuis quelques semaines. Je veux savoir ce que t'as !

– Je suis encore sous le choc de l'accident de Théo, mais ça va s'arranger. Mon frère va beaucoup mieux. Il sera probablement de retour à la maison cette semaine.

L'ÂME À VIF

Ma propre voix me fait l'effet d'un message enregistré. Sans émotion, je lui ai récité exactement ce qu'elle voulait entendre.

– Wow ! C'est une bonne nouvelle ! s'exclame mon amie avec un large sourire.

Je vois bien dans ses yeux qu'elle meurt d'envie de me dire quelque chose d'important, elle aussi. Comme je ne lui pose aucune question, elle décide de poursuivre d'elle-même.

– À propos de bonne nouvelle... il faut que je te raconte ce que t'as manqué pendant ton absence.

Elle fait une pause pour faire durer le suspense, sauf qu'elle s'aperçoit vite que ça ne me fait ni chaud ni froid. Elle soupire et lâche sa « grande nouvelle ».

– Javier Flores m'a invitée à son party d'anniversaire, la fin de semaine prochaine. Le plus beau Latino de toute l'école, t'imagines ! Je pensais rêver... Tu sais mieux que personne à quel point je fantasme sur lui depuis la rentrée.

Yééé !... Personne ne m'y a invitée, moi... On sait bien, je suis la fille invisible. À qui la faute ? À tant vouloir passer inaperçue, il semble que j'aie réussi.

Mes sentiments sont ambigus. Je n'arrive même pas à éprouver le début d'un soupçon de joie pour Laurianne. Je crois que je suis jalouse. Je la trouve chanceuse qu'un gars s'intéresse à elle.

Je suis hyper nulle, même comme amie... Je lui renvoie un sourire forcé et je me remets en marche vers la bibliothèque.

— C'est tout l'effet que ça te fait ?! proteste-t-elle en trottinant derrière moi.

— Ben là ! C'est juste une invitation à un party, pas une demande en mariage ! Je ne vais pas me mettre à danser de joie dans le corridor !

Mon ton laisse transparaître mon ironie et mon impatience. Laurianne s'arrête pour me dévisager pendant un instant puis, sans un mot, elle tourne les talons et s'éloigne. Je sens bien que je l'ai blessée. Je voudrais la retenir, lui dire que je suis contente pour elle, mais je ne bouge pas d'un centimètre. Je ne ressens rien pour les autres, pas même pour celle que je considère comme ma *best*. Et je ne suis même pas capable de faire semblant ! Il y a vraiment quelque chose qui cloche avec moi...

* *
*

Laurianne n'est pas restée fâchée longtemps. Dès le lendemain, elle s'est mise à me détailler les vêtements qu'elle allait porter pour le fameux party chez Javier. Par politesse, j'ai tenté de faire comme si je m'intéressais à ce qu'elle disait. Puisque je ne suis pas très bonne actrice, je crois qu'elle s'en est aperçue, même si elle n'a rien dit. J'étais tellement triste qu'elle n'ait pas pensé une seule seconde que j'aurais peut-être aimé y aller, à cette fête, moi aussi. Elle aurait pu en parler à son nouvel *amigo* !

Mais qui voudrait inviter un air bête à une soirée d'anniversaire ? En plus, je ne sais même pas danser... Dans le fond, plus j'y pense, plus je me dis que même si Javier et Laurianne m'avaient invitée, je n'y serais pas allée. Je n'ai pas la tête à m'amuser. Il me faut déjà tout mon courage pour continuer à venir à l'école, pour garder l'apparence d'une vie normale. Les journées me semblent tellement longues... Mais j'arrive à faire semblant en sachant que ma « récompense » viendra au bout de toutes ces heures, quand je me réfugierai dans ma chambre pour m'adonner à mon petit rituel.

Au moment où l'exacto entaille ma peau, je me moque qu'on ne m'ait pas invitée à un party, qu'aucun gars ne s'intéresse à moi ou que ma mère ne me voie pas... La Terre pourrait cesser de tourner, ça ne me ferait pas réagir. La seule chose qui compte maintenant, c'est MON bras, MA lame, MON sang, MA douleur pour calmer MON angoisse, MA haine et MA rage. Tout ça forme une sorte de cage protectrice autour de moi. Rien ne pourrait m'arrêter de me couper. J'ai l'impression que ma survie en dépend.

* *

*

Théo est de retour à la maison depuis hier. Comme il est arrivé en soirée, on ne s'est pas encore retrouvés seuls, lui et moi. Ma mère et ma grand-mère devront l'aider tous les matins à s'installer dans son fauteuil roulant, parce que ses bras et sa jambe gauche ne seront pas déplâtrés avant deux mois. Grand-Maman a décidé de rester chez nous au moins jusqu'à Noël. Théo a besoin de séances de rééducation pour recommencer à marcher, et c'est elle qui l'y conduira.

Ma mère s'est mis en tête d'essayer de trouver un emploi plus payant comme secrétaire dans un bureau. Théo est content. Il dit qu'elle sera plus souvent à la maison, le soir. Pour le moment, elle ne peut pas quitter son travail au supermarché, alors on doit compter sur l'aide de ma grand-mère ou s'organiser nous-mêmes, comme d'habitude.

Étrangement, ça ne m'atteint pas. J'ai l'impression de m'être dédoublée, d'être sortie de mon corps, de vivre à côté de ma famille sans en faire partie. Je fais pourtant des efforts pour m'intéresser à eux, mais sans résultat...

Ce matin, Théo a tenu à déjeuner dans la cuisine avec nous. Il tente quelques blagues pour me faire rire, se comparant à une momie.

— Arrête de me regarder avec cet air bête, Angélique, sinon j'appelle ma bande !

Je le dévisage avec un regard interrogatif et il voit tout de suite que je ne comprends pas son jeu de mots.

— Momie... bande... Tu vois le lien ?

Je hoche la tête et souris faiblement. Puis je replonge le nez dans mon bol de céréales. Je n'ose pas regarder mon frère en face.

— Sais-tu pourquoi, au musée, il y a la momie d'un gars qui porte une plaque avec l'inscription 1085 av. J.-C. ? tente encore Théo.

Je hausse les épaules.

— C'est le numéro de plaque de la voiture qui l'a frappé !

Il se moque de moi ?! Est-ce sa façon de me dire qu'il me pardonne, ou est-il en train de me rappeler que son accident est ma faute ?

J'éclate en sanglots et repousse brutalement ma chaise. Ma mère, qui se servait un café, sursaute.

— Ange, qu'est-ce qui te prend ?! crie-t-elle, furieuse. Tu m'as fait renverser !...

Sans répondre, je m'enferme dans ma chambre pour faire la seule chose qui puisse encore me calmer. Je m'enfonce peu à peu, j'en suis consciente. Ça devient le seul moyen de contrôler les émotions trop fortes qui m'envahissent. J'ai presque l'impression d'être une droguée qui a besoin de sa dose pour tenir une heure de plus.

J'ai de brusques accès de colère suivis de moments d'angoisse. Les blagues de Théo ne me font pas rire, les petites attentions de Grand-Maman me laissent de glace, quant à ma mère, même si je sais qu'elle aimerait que je me confie à elle, je m'en sens incapable. Pourtant, je les aime, tous les trois. Comment le leur faire comprendre ?

Mes résultats scolaires commencent à s'en ressentir. Je n'ai jamais été une première de classe, mais je réussissais toujours à me maintenir dans la moyenne. Jusqu'à récemment... Au dernier examen surprise en anglais, ma note a été une catastrophe. En maths, c'est encore pire.

Qu'est-ce que je vais bien pouvoir dire à ma mère quand elle va voir mon bulletin ? Une idée me vient tout à coup. Je lui raconterai que mes notes sont mauvaises parce que Théo n'était pas là pour m'aider. Après tout, c'est vrai que mon frère m'a toujours donné un coup de main avec mes devoirs. Sauf depuis qu'il a eu son accident... Oui, c'est l'excuse parfaite. Il ne faut surtout pas que quiconque se doute que je ne vais pas bien. Ma mère et ma grand-mère ont déjà assez de s'occuper de la réhabilitation de Théo, je ne dois pas être une charge supplémentaire.

– Angélique ! m'appelle Grand-Maman en cognant contre ma porte. Je t'attends !

Oh ! C'est vrai... Elle m'a proposé de faire l'épicerie avec elle ce matin, et j'ai accepté. Il faut que j'aille dans la rangée des produits d'hygiène, je n'ai plus de désinfectant ni de tampons stériles pour nettoyer mes coupures. Si je lui demande de m'en

Richmond Hill Public Library
Richmond Green
Tel: 905 884 9288

Borrowed Items Nov 21, 2016 17:28
17:28
XXXXXXXXXX8373

Item Title	Due Da
32971012691352	Dec 12, 2016 23:5
* Mes vies de chien : roman pour les humains	
32971012228650	Dec 12, 2016 23:5
* Vols en haute soci,t,	
32971012222000	Dec 12, 2016 23:5
* lixir	
32971014239267	Dec 12, 2016 23:5
* L'fme ... vif	
32971016250403	Dec 12, 2016 23:5
* And I darken	
32971016774394	Dec 08, 2016 23:5
Allegiant	
32971013557891	Dec 08, 2016 23:5
The count of Monte Cristo	

* Indicates items borrowed today

www.rhpl.richmondhill.on.ca

apporter, elle va me poser une tonne de questions, tandis que si j'y vais avec elle, je n'aurai qu'à glisser mes achats sur le tapis au moment de passer à la caisse. Elle ne s'en rendra pas compte. Enfin, je l'espère !

6

JURÉ, CRACHÉ !

La neige tombe doucement, à gros flocons. Il y en a déjà cinq centimètres sur le trottoir. J'ai l'impression de m'enfoncer dans un coussin blanc. J'aime cette sensation. Pendant une tempête, toute la ville devient paisible et le silence s'installe dans les rues. Je tourne à droite pour prendre le boulevard qui me mène à l'école. Ma botte bute tout à coup contre quelque chose de dur. Une bouteille de bière cassée gît sur le tapis blanc et il y a des débris partout. Du pied, je les pousse pour les écarter du chemin, un enfant pourrait se couper en voulant les ramasser.

Couper. Couper. Couper. Le mot tourbillonne dans ma tête. Machinalement, je me penche pour ramasser un éclat de verre. Je le tourne et le retourne entre mes doigts gantés, puis je le glisse dans la poche de mon manteau en poursuivant ma route, comme si de rien n'était. Je n'apporte jamais mon exacto en classe, mais souvent je regrette de ne pas l'avoir fait. Quand la tension est trop forte dans les cours, toute ma concentration se focalise sur la lame laissée dans ma chambre. Dans ces moments-là, je deviens incapable de penser à autre chose. J'ai une paire de ciseaux et un compas dans mon étui à crayons, mais je n'ose pas. La crainte qu'on me surprenne est trop forte et elle arrive à me retenir. De moins en moins, cependant...

– Salut ! me lance Laurianne lorsque je la rejoins devant chez elle.

Tous les matins, depuis la maternelle, on marche ensemble jusqu'à l'école. Escortées par nos mères quand on était petites, puis par mon frère, et enfin, seules toutes les deux. Ce sont nos dix minutes privilégiées, pendant lesquelles on peut discuter de tout et de rien, sans craindre d'être entendues. C'est sur ce chemin qu'on a mijoté nos mauvais tours, ri comme des folles, discuté des garçons et de l'amour, échangé des potins sur telle ou telle fille, partagé nos coups de cœur pour nos films et nos acteurs préférés, donné nos avis sur nos lectures et parlé de notre musique favorite, comparé nos réponses aux examens... C'est aussi pendant ce trajet qu'on s'est juré que rien au monde ne pourrait nous séparer.

– Laurianne ?

– Hmm ?

– Je peux te poser une question sérieuse ?...

– Ben oui.

– Lorsqu'on s'inscrira au cégep...

L'ÂME À VIF

– Au cégep ?! C'est encore loin... on est juste en secondaire trois.

– Oui, mais faut commencer à y penser !

– C'est ton frère qui t'a mis ça dans la tête ? Il doit être en train de remplir ses formulaires d'inscription et ça te met la pression... Mais nous, on a tout le temps d'y penser !

– Écoute, je veux juste savoir... Si je décidais de choisir un programme qui permet de faire des voyages d'aide internationale dans des pays sous-développés... tu t'inscrirais avec moi ?

– Hmmm ! Mouais... Je pense que ça me plairait aussi... Deuxième option : on pourrait s'inscrire en sciences, pour devenir des médecins sans frontières.

– Oui, peut-être.

– C'est tout ce que tu voulais savoir ?

– Euh... ben non, en fait, euh... t'es ma *BFF*, pas vrai ?

– Oui, depuis la maternelle.

– Tu ne m'abandonneras jamais, hein ?

– Voyons, t'as donc bien des questions bizarres, ce matin ! T'as mal dormi, t'as mangé un truc pas frais hier soir ?

67

— Jure-le, Laurianne... Jure que même si tu te fais un *chum*, on sera toujours les meilleures amies du monde !

— Ben là, tu m'inquiètes ! Qu'est-ce qui se passe ?

— Rien. Jure, c'est tout !

— OK. Je te l'ai juré à la maternelle, en deuxième année, en quatrième aussi, il me semble. Et en première secondaire... Alors, je peux bien recommencer.

Dans un bel élan de synchronisme, nos mains se joignent, nous nous détournons et nous crachons par terre... avant d'être prises d'un énorme fou rire.

— Je jure que tu resteras ma meilleure amie quoi qu'il arrive ! récitons-nous en chœur après avoir repris notre sérieux.

— Et on ira au même cégep, puis à la même université. Et on se mariera le même jour, dans la même église... avec des jumeaux ! ajoute Laurianne, en rigolant.

— Niaiseuse !

Nous continuons notre route bras dessus, bras dessous, en imaginant de quoi aurait l'air notre somptueux mariage double.

— D'ailleurs, parlant de *chum*, je voulais te l'annoncer moi-même avant que tu l'apprennes par d'autres..., fait mon amie en se raclant la gorge. Tu sais, Javier, ben... on sort officiellement ensemble depuis hier soir. Alors euh... comme il n'habite pas très loin d'ici et que c'est sur notre chemin, on pourrait passer le prendre pour marcher jusqu'à la poly, non ?

Le sang afflue à mes tempes et ma respiration s'accélère. Je crispe les poings. Après le serment que nous venons tout juste de faire, je demeure bouche bée devant son annonce et sa proposition.

– Hmmm...

C'est tout ce que j'arrive à lui répondre. Je n'ai plus de salive. Je sens la colère m'envahir. Comment ma meilleure amie peut-elle me faire ce coup-là ? Pour un gars qu'elle vient à peine de rencontrer, en plus ? Laurianne ne semble pas s'apercevoir de mon malaise, car elle poursuit son histoire :

– On discutait par Skype et sans que je m'y attende, il m'a demandé si je voulais sortir avec lui ! Il n'avait absolument rien prémédité et je l'ai vu tout de suite à l'expression de son visage. Angélique, tu te rends compte, mon premier vrai *chum* ! Je suis tellement heureuse !

Oui, je vois ça... Elle danse en marchant, rigole en tentant d'attraper des flocons sur le bout de sa langue, les bras écartés comme un papillon qui prend son envol. Pour rester dans les insectes, moi, je me sens comme une mite...

– Oh, Angélique ! Tu pleures ?

Voilà autre chose ! Je ne m'étais même pas rendu compte que des larmes inondaient mes joues. J'ai cru que c'était la neige qui les mouillait. Je les efface avec mon gant.

– T'en fais pas ! continue mon amie. Tu vas rencontrer quelqu'un, toi aussi ! Viens, suis-moi, c'est ici...

Elle m'attire dans une rue transversale.

Son beau Latino est bien là, deux maisons plus loin. Il se hâte de nous rejoindre, embrasse Laurianne sur les lèvres et me lance gaiement, avec son accent chantant :

– Enchanté de faire ta connaissance ! Laurianne m'a souvent parlé de toi. L'amie de mon amie est mon amie !

Pathétique !

Mon silence en guise de réponse, c'est tout ce qu'ils méritent tous les deux. Je presse le pas, laissant les amoureux roucouler dans mon dos. Je le jure, c'est la première et la dernière fois que je fais le chemin avec eux. À partir de demain, je marcherai seule jusqu'à la poly.

La crampe qui me noue l'estomac n'a jamais été aussi douloureuse. Mes larmes continuent de couler et je ne peux rien faire pour les retenir. La trahison de Laurianne, je ne m'y attendais vraiment pas. Surtout pas en ce moment où je ne vais déjà pas très bien...

*   *

*

Décidément, c'est la pire journée de ma vie ! Dans le cours de sciences, nous sommes censés travailler en équipe durant la dernière demi-heure. D'habitude, on se met ensemble, Laurianne et moi, mais au moment où je me suis tournée vers elle, elle se dirigeait déjà vers Javier. Arrrgh ! Double trahison ! Je regarde autour de moi... Les équipes habituelles se sont formées. Il ne reste que le coéquipier asiatique de Javier. Nos supposés amis ne nous ont pas tellement laissé le choix de nous mettre ensemble. Et je sais que Anh Tuan n'est pas bon en sciences, en plus d'avoir de la difficulté à s'exprimer en français. Génial...

Évidemment, au bout de cinq minutes, je m'impatiente et mon ton monte. Mon nouveau partenaire ne comprend rien à rien aux manipulations qu'on doit faire, et encore moins à mes explications !

– Angélique ! m'interpelle l'enseignante. Veux-tu bien baisser le volume et faire preuve d'un peu de patience, s'il te plaît. Anh Tuan vient d'arriver au pays. Donne-lui une chance ! Que ferais-tu si tu étais dans son pays, ne parlant pas le vietnamien ?

Mon grognement s'intensifie. J'irais tellement plus vite toute seule !

– Ah, pousse-toi un peu ! dis-je en bousculant Anh Tuan pour attraper deux pipettes derrière lui.

Mon mouvement est si brusque que le garçon chancelle et fait tomber du matériel en tentant de s'agripper à la table. Bravo !

– Angélique Laurier ! s'énerve l'enseignante qui, bien sûr, a tout vu. Excuse-toi !

– Euh... non !

– Tout de suite, ou c'est un aller simple chez le directeur !

– Ching, chang, cheung !

La classe éclate de rire. Seul mon coéquipier ne semble pas avoir compris ma blague. La prof, elle, est rouge pivoine.

– Dehors !

Je ne me le fais pas répéter deux fois. Je ramasse mes affaires et claque la porte en sortant. Encore un rapport à mon nom qui va atterrir sur le bureau du directeur...

L'angoisse que ma mère l'apprenne et qu'on se dispute me serre le cœur.

Je me revois alors en train de ramasser le tesson de la bouteille de bière. Il m'appelle, dans la poche de mon manteau. Il reste vingt minutes avant la fin du premier cours. J'ai le temps d'aller discrètement le prendre à mon casier, de m'enfermer dans les toilettes et de soulager ma détresse.

*　　*

*

Vingt heures trente. Mon bras est enflé et me fait mal tellement je me suis coupée souvent et profondément aujourd'hui. Mais cette journée d'enfer est enfin terminée. J'ai réussi à éviter Laurianne jusqu'au dîner. Je ne voulais pas la voir, j'étais trop en colère contre elle et mes paroles auraient pu dépasser ma pensée. À la cafétéria, je me suis installée dans le fond, le plus loin possible de la table qu'on occupe d'habitude. Elle m'a cherchée des yeux, puis je l'ai vue s'asseoir avec Javier et sa bande. J'ai mangé à toute vitesse. Je suis ensuite sortie de l'école pour aller traîner dans le parc de la rue d'à côté. Besoin de silence.

L'après-midi s'est mieux déroulé que la matinée. Laurianne n'est pas dans ma classe en anglais et en maths, alors... Dès la fin des cours, j'ai filé au plus vite pour ne pas la rencontrer près des casiers et pour éviter qu'elle me rattrape sur le chemin du retour.

Depuis que je suis rentrée à la maison, elle essaie de me joindre par Skype et par courriel. Mais je ne réponds pas à ses appels ni à ses messages. Je suis encore trop fâchée. Et déçue, aussi. Elle a même posté plein d'images et de vidéos amusantes sur mon mur Facebook. Pfff ! Si elle pense m'avoir avec ça, elle se met le doigt dans l'œil jusqu'au coude !

73

À propos de coude, je relève ma manche pour examiner ma plus récente coupure, qui m'élance atrocement. Hum ! Ç'a l'air infecté. Le morceau de verre trouvé dans la rue, c'était pas l'idée du siècle, apparemment. Lundi, je vais apporter mon exacto, mon désinfectant et des pansements à l'école, juste au cas. Mon but n'est pas de mourir d'une septicémie, quand même !

Je me rends à la salle de bains pour laver frénétiquement ma coupure avec de l'eau et du savon, puis j'applique un peu d'onguent antibiotique en grimaçant.

— Angélique, t'es dans la salle de bains ? me crie mon frère de sa chambre. Peux-tu m'apporter un comprimé d'Advil ? J'ai mal à la tête !

Quelques minutes plus tard, je lui donne ce qu'il m'a demandé et tourne les talons pour sortir.

— Reste un peu ! me dit-il Ça fait une éternité qu'on ne s'est pas parlé, tous les deux.

J'ai envie de dire non. Pourtant je me laisse tomber sur le lit près de lui.

— Ça va, toi ? m'interroge-t-il.

— Mouais.

— Tu me le dirais si t'étais pas bien, hein ?

— Mouais.

— Tu sais... pour ça...

Il lève un de ses bras encore plâtrés.

— T'y es pour rien. J'ai pas fait attention en traversant la rue, c'est tout.

— C'est quand même moi qui t'a énervé à propos d'Alicia.

— Ai. On dit « c'est moi qui t'ai »...

Je le dévisage, les yeux écarquillés de stupeur. Je n'en reviens pas ! Même là, alors qu'on discute sérieusement pour la première fois depuis l'accident, il faut qu'il me reprenne sur ma grammaire ? La frustration monte en moi et je me donne un élan pour me lever, lorsqu'il enchaîne :

— Écoute, pour Alicia... je le savais que c'était sur le point de se terminer entre nous. J'avais remarqué que Félix et elle, ça cliquait pas mal depuis plusieurs semaines.

— Mais je suis quand même responsable...

— ... de rien du tout ! Tu n'es responsable de rien, ôte-toi ça de la tête. Tu sais quoi ? Je m'en fichais qu'elle casse... J'étais même soulagé que ce soit elle qui le fasse, ça me permettait de redevenir célibataire sans être le méchant de l'histoire.

Je dévisage mon frère en silence. Est-ce qu'il dit ça seulement pour me rassurer ? Est-ce qu'il a remarqué que... Un rapide coup d'œil vers mon bras me permet de voir que ma manche longue cache bien mon pansement et mes cicatrices.

Je hoche la tête pour lui faire comprendre que sa réponse me rassure.

— T'as plus de blonde pour t'accompagner à ton bal des finiss...

Je m'interromps aussitôt en me rendant compte de ma gaffe. Théo n'ira peut-être pas à son bal des finissants cette année ! Il ne retournera sûrement pas à l'école avant janvier, si sa rééducation se déroule bien. Même si son ami Marc lui apporte ses notes de cours, j'ai peur qu'il soit obligé de recommencer son secondaire cinq. À cause de moi !

— Hé, t'inquiète pas ! Je vais rattraper tout mon retard. Tu verras...

Un sourire apparaît sur ses lèvres.

— Et puis, il y a une fille... Mégane Bélair. Il paraît que je l'intéresse. Elle a... *avait* de très beaux cheveux longs, j'ai entendu dire qu'elle les a coupés après une altercation à l'école..., me lance-t-il avec un clin d'œil. Cette fille-là, je vais l'accompagner au bal, crois-moi !

Comment Théo est-il au courant de la bataille ? Je ne lui ai rien dit. Ma mère ? Non, pas son genre. Et de toute façon, elle ne sait pas les détails et a

sûrement oublié le prénom de ma victime. Marc ?
Laurianne ! Ça ne peut être qu'elle ! Maudite grande
trappe ! Elle a dû lui parler par Skype à un moment
donné ! Grrrr !

7

LA DISPARITION

Dans deux semaines, ce sera Noël. Je déteste cette fête. Tout le monde se croit obligé d'être gentil et joue la comédie... Joyeux Noël par-ci ; Bonne Année par-là ! Ç'a commencé lorsque j'ai été assez vieille pour me rendre compte que la plupart des autres enfants célébraient avec leurs deux parents, alors que moi et mon frère n'avions que Grand-Maman et notre mère. Les oncles et les cousins, ça ne remplace pas un père... Hâte que ce soit passé.

Cette année, je me sens encore plus seule que d'habitude sans ma *BFF*. Laurianne et Javier filent le parfait bonheur, ce qui signifie qu'on ne se voit presque plus. Mon amie (ou peut-être devrais-je dire mon ex-amie ?) fait des efforts pour que notre amitié soit comme avant, mais il y a quelque chose de brisé entre nous. J'ai accepté de refaire le chemin de l'école avec elle à condition que son *chum* ne nous accompagne que le vendredi. Malgré ça, tous les autres jours de la semaine, elle me parle de lui sans arrêt !

C'est exaspérant ! Résultat : je ne fais que l'écouter. À la poly, Javier vient manger avec nous un midi sur deux. Un vrai chihuahua de poche !

Je m'isole. Je passe presque tout mon temps libre seule, à la bibliothèque. Pourtant, mes notes de travaux et d'examens ne sont pas meilleures, au contraire. Il faut dire que je n'étudie pas vraiment... Mes yeux survolent mes cahiers et je ne retiens rien.

Lorsque ma mère a vu mon dernier bulletin, j'ai cru qu'elle allait faire une crise cardiaque. Je m'attendais à l'engueulade du siècle. Je lui ai raconté le mensonge que j'avais imaginé. « Sans Théo pour m'aider, c'était plus difficile », et bla bla bla. Elle m'a crue et m'a fait promettre d'étudier plus pour remonter mes notes. Heureusement, mon frère est de retour et je peux désormais compter sur lui.

Je suis de plus en plus obsédée par mes coupures. Maintenant, je ne peux plus passer une journée sans m'en faire. À l'école, dans les toilettes, et je récidive le soir, dans ma chambre. Quelques cicatrices supplémentaires, ce n'est rien à côté de l'immense soulagement que ça me procure.

La semaine dernière, j'ai essayé d'arrêter pendant deux jours. Terrible ! L'angoisse me paralysait et j'étais incapable de fonctionner. Après quarante-huit heures, j'ai flanché et j'ai décidé que chaque coupure de plus serait une récompense. Une sorte de médaille personnelle pour avoir survécu à une autre journée de solitude, de trahison ou de mépris.

L'ÂME À VIF

J'ai bien vu les regards que certains me jettent à l'école depuis la bataille avec Mégane. Je devrais même dire « certaines ». Un midi, j'ai croisé un groupe de filles en me dirigeant vers la cafétéria. Elles m'ont dévisagée comme si j'étais un monstre sur deux pattes. Pourtant, j'essaie de me fondre dans le décor, de passer inaperçue, mais on dirait que plus je tente d'être invisible, plus on me remarque. Et ça ne tourne pas à mon avantage, ça me fait faire des gaffes ! Ce jour-là, je suis entrée en collision avec une poubelle et tout le monde s'est moqué de moi. Bon, j'avoue que c'était plutôt drôle, mais ça m'a quand même dérangée de les entendre s'esclaffer. Est-ce que je deviens parano ?

Le soir, à la maison, rien n'est plus soulageant que de regarder mes cicatrices. Au fur et à mesure qu'elles guérissent, c'est comme si la douleur qu'elles représentent se cicatrisait aussi. Elles sont un tableau de mon histoire. Chacune d'elles me rappelle quelque chose : une engueulade avec ma mère, un mot méchant d'un élève, un pétage de coche contre un enseignant. Je n'ai jamais été quelqu'un de colérique, pourtant j'ai de plus en plus de rage en moi, et parfois, j'explose.

Mon seul regret, c'est que mes premières entailles, celles qui symbolisaient ma culpabilité envers Théo, aient disparu. Je n'ai pas appuyé assez fort avec le verre en plastique. Parfois, je me dis qu'il va falloir que j'en fasse une vraiment profonde pour incruster une bonne fois pour toutes mon crime dans ma peau. Théo a beau me répéter que son accident n'est pas ma faute, je sais bien que ce n'est pas vrai ! C'est MA faute !

Il est dix heures, la sonnerie de Skype retentit. C'est Laurianne. J'hésite un instant, mais finalement je réponds. Elle me manque tellement !

– Salut, Angélique ! Ça va ?

– Pas pire...

– Écoute... j'ai pensé que puisqu'on est samedi, on pourrait aller au cinéma.

– ...

– Quoi ? T'as pas envie ?

– ...

– Oh, je comprends ! Pour répondre à ta question silencieuse, oui, juste toi et moi, entre filles.

C'est louche, ça ! Son Javier ne doit pas être libre, alors elle m'appelle... Pas question que je sois le bouche-trou de service !

– Javier m'a dit qu'il trouve que je ne passe plus beaucoup de temps avec toi, reprend-elle. Il t'aime bien, tu sais. Et il a raison, l'amitié, c'est important. Lui, il a les XYZ. Je ne veux pas te perdre comme amie... Je suis désolée de t'avoir laissée un peu de côté ces dernières semaines.

Les XYZ, ce sont les trois meilleurs amis de Javier : Xavi, Yoann et Zaccary. Depuis que Laurianne sort avec leur copain, je sens bien qu'ils essaient de m'intégrer dans leur groupe, mais je ne me sens pas à l'aise. Toujours ce maudit sentiment d'être de trop...

Les larmes me montent aux yeux.

– Tu... tu m'en veux ? poursuit Laurianne. Je m'excuse... Tu comptes beaucoup pour moi.

Si elle continue comme ça, je vais me mettre à pleurer comme un bébé.

– Oui, oui ! dis-je très vite, la gorge nouée.

– Oui, quoi ? Oui, tu m'en veux ? Ou oui, tu viens au cinéma ?

– Oui, je viens au cinéma ! Il doit y avoir une séance aux alentours de treize heures, ça te va ? On peut se voir avant aussi, pour faire un tour en ville...

– OK, je suis chez toi dans quinze minutes !

– Non !...

Ma réponse la surprend et je vois son visage qui se fige à l'écran. J'aime mieux aller chez elle, parce que ça m'évitera de penser sans arrêt à ma lame en l'attendant.

– ... c'est moi qui te rejoins chez toi. À tantôt !

Un élan de bonheur me gonfle la poitrine. Ça fait longtemps que je n'ai pas éprouvé une telle sensation. Mon regard tombe sur le manche rouge de mon exacto, qui dépasse de sous une pile de papiers éparpillés sur mon bureau... Je lui tire la langue.

Je me rends dans la cuisine pour me servir un verre de jus d'orange avant de quitter la maison lorsque je remarque le mot que ma mère a laissé sur la porte du réfrigérateur.

« Je t'ai mis de côté un morceau de ton gâteau préféré, pour ce midi. Bonne journée, ma fille. xxx »

Qu'est-ce qui lui prend tout d'un coup ? Si elle pense m'acheter avec du gâteau ! Il en faudrait beaucoup plus...

J'ai déjà le pied sur la pédale de la poubelle, mais au moment où le morceau s'apprête à tomber, je ne peux me résoudre à le jeter.

Je le donnerai à Laurianne, tiens...

*   *
*

Est-ce que le film était bon ? Ce n'est pas le plus important. Ce qui compte, c'est que j'ai passé une magnifique journée avec ma *best* ! Avant le cinéma, on s'est promenées bras dessus, bras dessous, au centre-ville, en riant des vitrines un peu ouach de certains magasins et des grimaces des passants qui marchaient dans la « slotche » en essayant de traverser une rue. Deux ricaneuses ! Que ça fait du bien, cette légèreté, après des semaines à broyer du noir ! Devant une poutine bien grasse, on a retrouvé notre complicité de toujours, comme si rien ne l'avait affectée. Après le film, on a continué de se balader en ville parce que Laurianne voulait s'acheter des jeans. On est entrées dans plein de magasins, on a essayé des tas de vêtements... Pouf ! les morceaux brisés de notre amitié venaient d'être recollés !

*   *
*

Dix-neuf heures trente. Après avoir soupé chez Laurianne, me voici de retour chez moi. Je suspends mon manteau dans l'entrée et laisse mes bottes sur le tapis. De là, je vois Théo et Grand-Maman au salon, en train de regarder la télévision. Je n'entends aucun bruit dans la cuisine ni ailleurs dans l'appartement.

— Maman n'est pas là ?

— Elle est sortie avec son nouvel ami très distingué, me répond Grand-Maman avec un large sourire.

Un ami ? Depuis quand ma mère a un ami ?! « Distingué », en plus. J'ai raté quelque chose, là !

— Quel ami ?

— Elle a rencontré quelqu'un sur Internet..., dit mon frère sur un ton de conspirateur.

— Quoi ? Comment ça, sur Internet ?

Pourquoi est-ce que ça me fâche autant ? Ce n'est quand même pas la première fois que ma mère sort avec un homme. Pourquoi là, ça me dérange ?... Mes

85

émotions repartent en montagnes russes. Ma joie d'avoir retrouvé Laurianne s'efface d'un seul coup. Je voudrais que ma mère me fiche la paix, et en même temps, je lui en veux de ne pas être plus présente pour moi. Paradoxal !

Je m'élance vers ma chambre, contrariée. J'ouvre la porte et je reste figée à l'entrée.

– Hé, Angélique ! Tu n'as rien remarqué ? me lance mon frère du salon, d'une voix tout excitée.

Oh oui, je remarque que ma chambre n'est plus la même ! Mon lit est fait. Il n'y a plus aucun vêtement qui traîne sur le sol ni dans mon panier de linge sale. Tout a été lavé, repassé, plié et déposé sur ma commode. Mon bureau de travail est débarrassé de sa montagne de papiers, mes livres et mes effets scolaires sont bien rangés. Tout est net, propre, plus un grain de poussière. Il y a même une odeur de sent-bon qui flotte dans l'air.

– Qu'est-ce qui s'est passé ici ?!

J'hésite entre la joie d'avoir une chambre propre et la colère de voir que quelqu'un a touché à mes affaires.

– C'était la pagaille, me répond ma grand-mère qui m'a suivie. J'ai décidé de faire le grand ménage. Ça ne te fait pas plaisir ?

La panique s'installe lentement en moi. Mes yeux glissent sur mon bureau, sur ma commode, à la recherche du manche rouge que je ne vois nulle part. Je me rue sur mon bureau et en ouvre tous les tiroirs. Pas là !

L'angoisse me tombe dessus.

« De quoi elle se mêle à vouloir faire le ménage de ma chambre ? »

Comme une folle, je fais valser le contenu de mes tiroirs sur le sol, sur mon lit. Pas là, pas là, pas là !

– Calme-toi, ma belle ! Qu'est-ce que tu cherches comme ça ? s'enquiert ma grand-mère.

Mon exacto. Ma lame. Mon réconfort !

Mais je ne peux rien dire. Une boule me monte à la gorge. Je suffoque. La tête me tourne, la nausée n'est pas loin. Des tremblements m'agitent et je transpire comme jamais. Je cours jusqu'à la salle de bains pour vomir mon souper.

Grand-Maman est sur mes talons. Elle s'inquiète.

– Mon Dieu, qu'est-ce que tu as, Angélique ? Réponds-moi !

Elle s'accroupit près de moi et me caresse doucement les cheveux, pendant que je vomis ma vie dans les toilettes.

Je sens une serviette froide sur mon cou. Ma grand-mère insiste :

– Dis-moi ce qui ne va pas !

Je ne peux pas, Grand-Maman ! Pourtant, je voudrais tant te parler, me vider le cœur une bonne fois pour toutes. J'aimerais que tu me serres dans tes bras comme quand j'étais petite. Que tu essuies mes larmes avec tes baisers. Oh, si tu savais...

Je renifle à quelques reprises, puis je réussis à me remettre debout malgré mes jambes qui me portent à peine. Mon reflet dans le miroir me renvoie un visage blanc comme un drap.

– Les sushis n'ont pas dû passer..., suis-je finalement capable d'articuler.

Mentir. Toujours mentir. Faut pas que ma grand-mère se rende compte de quoi que ce soit. Si elle devinait ce que je fais, elle aurait tellement peur. Cela lui ferait mal, aussi. Et je ne veux surtout pas qu'elle souffre à cause de moi. Je tente une blague.

– Pas habituée à la bouffe de luxe, pas comme Laurianne.

Me serrant contre elle, Grand-Maman me raccompagne à ma chambre. Je reste saisie devant le fouillis que j'y ai mis en quelques secondes. De la main, elle pousse le contenu d'un tiroir que j'ai vidé sur mon lit pour que je puisse m'allonger.

– Je ne te crois pas, Angélique. Je te connais par cœur, tu le sais bien... Dis-moi ce qui se passe.

– Mon... mon.... journal ! sangloté-je. Où est mon journal ?

– Te mettre dans cet état pour un journal intime ?! C'est pas croyable ! s'étonne ma grand-mère, décontenancée. Je n'ai rien vu qui ressemblait à un journal. Tu as dû le laisser ailleurs...

J'inspire et expire profondément. Je dois retrouver un semblant de calme, sinon elle ne me lâchera pas.

– Oui, tu as raison, confirmé-je très vite. Je me souviens maintenant de l'avoir emporté à l'école. Il doit être dans mon casier. Pardon, Grand-Maman, pardon...

Je doute qu'elle avale cet autre mensonge. Elle a quand même fait face à l'adolescence de ses trois garçons et de sa fille... Dans un élan, je me réfugie dans ses bras. Ma grand-mère me serre très fort. Je ferme les yeux. C'est tellement agréable de retrouver la douceur de ses caresses.

C'est à ce moment-là que je capte la voix toute proche de Théo.

– Angélique, t'as vu ?

Je me tourne vers lui et mon regard devient fixe. Il n'a plus de plâtre aux jambes et il s'appuie sur des béquilles ! Mon Dieu, c'était donc ça qu'il voulait que je remarque. Je suis vraiment trop égoïste...

- 8 -

Chere_a_vif.fr

Après l'épisode du rangement de ma chambre, j'ai paniqué. Il me fallait mon exacto et je n'avais aucune idée de l'endroit où ma grand-mère avait pu le ranger. Et pas question de me mettre à fouiller toute la maison pour le retrouver. Grand-mère et Théo sont quasiment toujours là, ç'aurait paru louche. J'ai donc décidé d'en acheter un autre, même si ça m'a fait tout drôle lorsque je l'ai posé sur le comptoir de la quincaillerie pour le payer. C'était comme si je remplaçais un... ami, un confident. Mon exacto rouge a été le témoin de tellement de bouleversements dans ma vie...

Mon nouveau a un manche jaune, ma couleur préférée. Je le cache dans mon sac avec mon onguent antibiotique, mes compresses stériles et mon désinfectant. Il est presque toujours avec moi. Pas question de me le faire subtiliser une deuxième fois.

Même si j'ai un nouvel exacto, je me mutile moins ces temps-ci. Ma vie va mieux depuis que Laurianne et moi on s'est réconciliées. Ce matin, elle m'a traînée de force dans les magasins pour acheter mes cadeaux de Noël. Elle sait à quel point je déteste cette fête, et encore plus le magasinage dans les centres commerciaux bondés. Mais je n'avais encore rien acheté, et Noël est dans trois jours. On a donc passé la journée à choisir nos cadeaux, elle pour ses parents et sa petite sœur, et moi pour Grand-Maman, Théo et ma mère. Laurianne m'a dit qu'elle avait commandé sur Internet ce qu'elle veut nous offrir, à Javier et à moi. Je me sens stupide... Je n'ai même pas pensé à son cadeau ! Je vais me rabattre sur une carte iTunes, c'est un choix gagnant puisqu'elle aime la musique et les films. Je lui ai offert la même chose pour son anniversaire, mais tant pis !

Il est vingt heures. Je suis crevée d'avoir couru dans toutes ces boutiques. Après notre souper, Théo a sauté sur la manette de la Xbox pour jouer. Depuis l'accident, je le laisse faire. Grand-Maman et ma mère sont en train de ranger la cuisine, alors j'en profite pour filer dans ma chambre.

Les raisons qui me motivent à me couper me préoccupent de plus en plus ces temps-ci. Je me sens mieux, alors pourquoi est-ce que je le fais encore ? La culpabilité que je ressens face à mon frère est toujours là. Même s'il m'a répété cent fois plutôt qu'une qu'il ne m'en veut pas, que ce n'est pas ma faute... Est-ce vraiment parce que j'ai failli causer la mort de Théo que je me sens si mal ? Il doit y avoir autre chose...

Je ne sais pas pourquoi, j'ai du mal à mettre le mot exact sur ce que je me fais. Pourtant il y en a un, et je le connais. Mais je dis toujours « je fais ça » ou « je me coupe ». Je suis incapable de prononcer LE mot précis.

Mais ce soir, je prends le taureau par les cornes et je tape dans un moteur de recherche ce terme que je me refuse à prononcer : automutilation.

Ouf ! Plus de huit cent mille résultats. Je lis d'abord l'article sur Wikipédia. Intéressant, mais ce n'est pas ce que je cherche. Viennent ensuite des reportages de Radio-Canada, de Télé-Québec, et même d'un service de police ontarien. Non, pas ça non plus.

Finalement, je comprends que je dois restreindre ma recherche et je tape : « Automutilation forum ». Bingo !

Il y en a plusieurs, mais je commence par le troisième résultat, car son nom m'interpelle vraiment : Chere_a_vif.fr. Il y a des témoignages qui viennent de France, de Belgique, de Suisse, du Maroc et du Québec. Ouf ! Je me mets à les lire avec avidité, comme si j'allais y trouver une explication miraculeuse au mal qui me ronge de l'intérieur.

Lame fatale (Paris, France, 16 ans)

Au début, j'utilisais des ciseaux. Après j'ai pris des bouts de verre, un petit couteau suisse et maintenant des lames de rasoir. Faut pas voir ça comme une « phase » de l'adolescence qui va finir par passer... J'ai commencé en *m'arrachant les cuticules du bout des dents, en CM2*, parce que j'étais hyper nerveuse à l'école. Les autres se moquaient de moi sans arrêt. Je n'étais jamais invitée aux anniversaires. Il y avait une fille en particulier qui me tirait toujours les cheveux, me donnait des coups de pied en douce, me traitait de zombie. Je n'ai jamais osé la dénoncer, j'avais trop peur des représailles. Après, ça ne s'est pas amélioré... Au collège, je passais mon temps à me justifier, à m'excuser, à me demander comment les autres me voyaient. Est-ce que j'étais assez bien à leurs yeux ? L'an prochain, j'entrerai en terminale**, et je ne sais toujours pas ce que je veux faire de ma vie... Je me sens seule avec mon problème, avec tous ces clichés qui circulent sur l'automutilation. C'est pourquoi j'ai créé ce forum !*

Beauté désespérée (Trois-Rivières, Canada, 14 ans)

Pour moi, l'horreur a commencé en première secondaire, à cause de mon surplus de poids. Insultes, agressions, intimidation, etc. La première fois, je me suis coupé le bout des doigts avec un couteau de table. Puis après, avec mon compas, j'ai tracé des formes sur mes avant-bras. De plus en plus fort. Ça me défoulait et, surtout, ça me soulageait. Sauf que ça ne fait que s'aggraver... J'enfouis ma colère tout au fond de moi et quand ça remonte, je ne trouve pas les mots, alors je m'exprime avec mon sang.

---

* Cours moyen deuxième année, en France. Équivaut à la 6e année au Québec.

** La terminale équivaut à la première année du cégep au Québec.

L'ÂME À VIF

J'ai essayé les lames de rasoir et l'exacto, mais ça laisse des lignes trop nettes. J'ai besoin d'être déchirée. Le verre cassé, ça fait des cicatrices plus trash.

Si je peux vous donner un conseil, arrêtez pendant que vous le pouvez encore... Ça fait trois ans que je me mutile et je ne vois pas comment je pourrais m'en sortir.

Life (Liège, Belgique, 17 ans)

L'automutilation, c'est entrer dans un cercle vicieux. Quand on a comblé un manque en se coupant, il y en a un autre qui apparaît, et ainsi de suite. Faut arrêter coûte que coûte. Ça fait un an que je ne me coupe plus. Ce n'est pas facile tous les jours, mais on peut y arriver. Il faut de la patience et du soutien. Lâchez pas, les filles ! Ah oui, je suis un garçon... La preuve que ça peut arriver à tout le monde !

MarieFleur (Matane, Canada, 12 ans)

Moi, je suis peureuse. Le sang, la douleur, ça me fait vraiment peur, alors je ne suis pas capable de me couper. Une fille de l'école m'a donné des trucs qui donnent le même feeling *et qui ne laissent pas de cicatrices.*

1- *Serrer très fort un de mes doigts ou mon poignet avec un élastique, jusqu'à ce qu'il devienne bleu.*

2- *Appliquer des glaçons sur l'intérieur de mes cuisses jusqu'à ce que ça fasse mal.*

J'ai commencé il y a six mois, après le suicide de mon père... Il était tout pour moi.

Selfharm (Québec, Canada, 17 ans)

Si je me mutile, c'est à cause de ma mère. Je suis jamais assez bien pour elle. Jamais assez brillante à l'école. Jamais assez compétitive au basket. Elle me compare toujours à ma sœur jumelle qui est meilleure que moi dans tout ce qu'elle fait. Mes parents ont fait de longues études (mon père est chirurgien et ma mère, avocate), alors ils veulent que je leur ressemble. Mais moi, ça ne m'intéresse pas. Je veux être musicienne... Je joue du piano depuis que j'ai cinq ans et c'est le seul domaine où je suis douée. Mais pour mes parents, pianiste rime avec parasite. J'ai rempli ma demande d'inscription en musique au cégep et ça fait trois semaines que ma mère refuse de me parler parce qu'elle m'en veut. Mon père, lui, a abandonné la bataille. Il s'en fout. Mais il ne rate pas une occasion de me dire à quel point il est fier de ma sœur, qui a été acceptée en sciences et qui veut poursuivre en médecine à l'université. Elle, elle est exactement le genre de fille que mes parents veulent. Pas moi...

Lemoncest (Val-d'Or, Canada, 20 ans)

Ma guérison s'est amorcée après un cours de maths pendant lequel je n'ai rien compris. Je me sentais comme une moins que rien. Quand tout le monde est sorti de la classe, je me suis levée pour aller poser une question au prof et j'ai éclaté en sanglots. L'enseignante m'a proposé son aide, mais je n'arrivais pas à lui dire la vérité. Deux semaines plus tard, j'ai trouvé le courage de déposer un mot sur son pupitre. J'avais juste écrit « inceste ». Mon père m'agressait depuis que j'avais huit ans. Elle m'a aidée à le dénoncer et m'a référée à une psychologue. Aujourd'hui, *j'étudie à l'université en sciences de l'éducation. Grâce à cette prof, j'ai compris que j'avais le droit d'exister, que j'étais quelqu'un de bien. Par contre, je me mutile encore parfois... quand l'angoisse m'envahit. Je continue d'être suivie en psychothérapie. Ça va prendre du temps, mais je vais réussir à me débarrasser de cette dépendance.*

Plus je lis les témoignages des autres, plus je réalise que je ne suis pas seule. Que l'angoisse et la détresse peuvent être causées par des expériences toutes plus différentes les unes que les autres, mais toujours douloureuses et intenses. Dans un sens, ça me rassure de constater que, partout dans le monde, on peut réagir de la même façon au stress, à l'anxiété et à la culpabilité, même s'il ne s'agit pas d'une bonne solution... L'accident de Théo a tout déclenché dans mon cas. Mais si je veux être honnête, je suis obligée d'admettre que j'y ai pensé durant plusieurs mois avant de passer à l'acte. Le malheur qui a frappé mon frère n'a fait qu'accélérer ce que, de toute façon, j'aurais fini par faire un jour ou l'autre.

Je pense que mon mal-être est là depuis mon enfance et qu'il a grandi au fur et à mesure que j'ai pris conscience de l'abandon de mon père.

Mais dans le fond, je ne mets pas ma vie en danger. Et je ne fais du mal qu'à moi-même... Peut-être qu'inconsciemment j'espère que quelqu'un va découvrir ce que je fais et me sauver... de moi ?

9

UN NOËL EN MONTAGNES RUSSES

24 décembre

Cette année, c'est au tour de ma mère de recevoir toute la parenté. J'ai décidé d'avoir l'air joyeux et de profiter de la réunion familiale. Je vais faire un effort. En fait, j'en ai assez qu'on me demande ce qui ne va pas, donc je fais semblant.

La maison est remplie ; mes trois oncles sont là avec leurs conjointes et mes cousins et cousines. Nous sommes quinze : huit adultes, sept jeunes, dont deux bambins. Comme il n'y a pas assez de place autour de notre table, ma mère nous a servis en premier. Ça fait plutôt notre affaire, car on pourra ensuite se rendre au salon pour jouer avec la Xbox pendant que les adultes discutent.

Depuis l'accident de Théo, je n'avais pas retouché à la console ni même dansé comme j'aimais bien le faire avant. C'était trop bizarre. Mais ce soir, je renoue avec mon plaisir. Ça me fait tout drôle de me déhancher comme ça, mais finalement j'y reprends goût. Je me débrouille encore très bien et je réussis même mieux les mouvements que mes cousins et cousines.

Aux alentours de minuit, Grand-Maman distribue les cadeaux qu'elle a achetés pour ses petits-enfants. Je me rends compte qu'elle nous connaît bien, car chaque présent est vraiment personnalisé. Je déballe vite le mien et je suis super heureuse de découvrir le nouveau livre de mon auteur préféré. Je la soupçonne d'avoir fouillé dans ma bibliothèque, mais je ne lui en veux pas cette fois.

La soirée se poursuit dans la bonne humeur. Ma mère a même préparé des jeux. Elle semble contente que sa veille de Noël soit réussie. J'essaie de me comporter le mieux possible, de participer à tout. Je dois avouer que je suis contente d'être entourée de ma famille. Je me sens moins seule.

Nos invités s'en vont vers une heure du matin. Ma mère, ma grand-mère, Théo et moi remettons un peu d'ordre dans la maison avant d'aller nous coucher.

Vers deux heures, j'enfile mon pyjama, me couche, éteins ma lampe de chevet et me tourne sur le côté avec un frisson de bonheur. Mais tout à coup, mon esprit s'affole et, malgré la fatigue, mes yeux s'ouvrent tout grands. Une boule d'angoisse m'étreint subitement la poitrine. Une petite voix intérieure me reproche d'avoir été heureuse toute la soirée. Je ne me suis fait aucune entaille depuis quelques jours. Pour me changer les idées, je tente de me concentrer sur les souvenirs de notre réveillon en famille. Mais la maudite voix dans ma tête continue de me reprocher ma gaieté et mon insouciance.

Repoussant drap et couette, je me lève et j'attrape mon sac à dos. Fébrilement, je fouille une pochette pour en extirper la trousse de toilette dans laquelle je garde mon attirail. Des larmes glissent lentement de mes yeux. Je n'arrive même pas à m'expliquer mon geste. Je sais que je vais passer à l'acte, je ne peux plus m'en empêcher. Pourtant, cette fois, je n'allume pas ma lampe. Je ne veux pas voir la lame glisser sur ma peau. Eh merde ! Pourquoi est-ce que je cherche à effacer tout ce que j'ai ressenti d'agréable aujourd'hui ? La honte me submerge. Ma main hésite. Qui va l'emporter, ma raison ou ma pulsion ?

« Si tu te coupes ce soir, alors c'est que tout est fichu pour toi », me dit ma petite voix intérieure.

Mais aussitôt une deuxième voix lui répond et me défie : « Allez, vas-y ! De toute façon, tu n'as pas droit au bonheur. Tu as failli causer la mort de Théo, tu es une mauvaise amie pour Laurianne... Si tu disparaissais, personne ne te pleurerait. Allez, appuie... un peu plus fort, vas-y, coupe, coupe, COUPE ! »

Dans un sursaut de lucidité, je parviens à détourner la lame de mon poignet pour lacérer mes draps de trois grands coups de lame. Des tremblements me secouent et je frissonne.

Je me fais peur.

Ma main lance l'exacto en direction de ma commode, mais je rate mon tir et je l'entends tomber au sol. Pour m'empêcher de courir le ramasser, je m'entortille dans mon drap déchiré. Recroquevillée sur moi-même, je laisse mes larmes m'inonder.

* *

*

Au matin, je me sens encore troublée. Mais pas question de laisser mes problèmes gâcher ma journée de Noël.

Malgré mon humeur, l'avant-midi se déroule plutôt bien. Théo et moi jouons ensemble sur la Xbox. Je veux effacer les mauvais souvenirs que m'inspire l'appareil en m'en créant de nouveaux avec mon frère. Après le dîner, nous nous installons pour regarder, à la télé, des classiques de Noël.

Puis la soirée arrive et ma mère se prépare pour sortir avec son nouvel ami, qui est venu la chercher. Il s'appelle Serge Moreau et a l'air sympathique. Elle nous le présente rapidement avant de s'éclipser.

– Je suis désolé de vous enlever Caroline ce soir, s'excuse-t-il en me tendant une grosse boîte de chocolats fins.

Mon frère le rassure en quelques mots.

L'ÂME À VIF

— Amusez-vous bien, les amoureux !

Pour ma part, je les regarde à peine. Que ma mère reste ou non ce soir, ça m'est égal. Je n'aurais rien eu à lui dire de toute façon.

Après leur départ, j'appelle Laurianne pour lui souhaiter Joyeux Noël.

— Ç'a été super ! s'exclame-t-elle quand je lui demande ce qu'elle a fait pour Noël. Javier a passé la journée chez moi, il a rencontré ma famille...

Un soupir de jalousie s'échappe d'entre mes lèvres crispées. J'ai hâte d'avoir un *chum*, moi aussi. En même temps, je ressens de la frustration. Laurianne m'a toujours dit que Noël c'était pour la famille, et le jour de l'An, pour les amis. Elle n'est jamais venue chez moi ni le 24 ni le 25, et pareil pour moi... Et là, elle a accepté qu'un gars qu'elle connaît à peine s'immisce dans son intimité ? Ça me fait mal. Très mal.

Il est vingt-trois heures et je rumine encore cette trahison... Une de plus !

Cette fois, ma main ne tremble pas lorsque je laisse la lame de l'exacto glisser sur mon avant-bras gauche. Instantanément, ma douleur à l'âme se dissipe avec celle qui m'engourdit.

En nettoyant le sang qui coule, je songe qu'il va falloir que je me coupe ailleurs pour laisser le temps aux cicatrices de guérir. Je commence à avoir beaucoup de marques sur les bras. L'intérieur des cuisses me semble envisageable. Surtout, il risque moins d'être découvert par les autres, du moins d'ici l'été.

Je ne porte plus de t-shirts à manches courtes depuis l'automne. Comme c'est l'hiver, personne ne m'en a encore fait la remarque. Même dans le cours d'éducation physique, je peux revêtir un chandail à manches longues et un legging. L'été prochain, je suis consciente que ça va être plus difficile s'il fait aussi chaud que l'an dernier. En short et camisole, les risques d'être questionnée sur mes marques sont plus élevés... Il reste le ventre. Mais si je vais à la piscine ? Zut ! À moins de mettre un maillot une pièce... Laurianne va rire, c'est sûr ! Je l'entends déjà se moquer de mon « costume de matante ».

* *
*

3 janvier

Dans deux jours, ce sera le retour au train-train quotidien. L'école pour moi, le travail pour ma mère. Maintenant qu'elle travaille moins le soir, sauf pour des remplacements, elle passe beaucoup de temps avec son nouveau copain. Grand-Maman est retournée vivre chez elle hier. Je suis plutôt soulagée qu'elle soit partie, parce qu'elle aurait peut-être fini par découvrir ce que je me fais.

L'ÂME À VIF

En revenant dans ma chambre, après avoir pris une douche, je découvre sur mon oreiller une enveloppe sur laquelle il est écrit :

« Serge a obtenu deux billets pour le spectacle de Sigur Rós au Centre Bell, dans deux semaines. Je crois que c'est ton groupe préféré... Vas-y avec Laurianne ! Maman xxx »

Sigur Rós n'est pas mon groupe préféré. C'est celui de Théo ! Des Islandais ! Ouf, il n'y a que mon frère et ses amis pour aimer ça ! J'ai envie de hurler. Les billets tournent entre mes doigts puis, prise d'une rage incontrôlable, je les déchire en deux morceaux que je laisse tomber dans la corbeille près de mon bureau.

Mais aussitôt, je m'en veux terriblement. Pourquoi ai-je fait ça ? J'aurais pu les donner à mon frère... Méchante égoïste, encore une fois !

Je récupère les billets pour les recoller avec un morceau de papier collant. J'espère que je ne les ai pas gâchés et que Théo pourra les utiliser... Je les glisse dans l'enveloppe avec un mot d'excuse.

« Désolée, Théo, je n'ai pas vu les billets à l'intérieur. J'ai déchiré l'enveloppe par inadvertance. J'espère que tu pourras entrer au Centre Bell sans problème ! »

Je me hâte d'aller déposer le tout sur l'oreiller de mon frère pendant qu'il occupe la salle de bains à son tour. Je sais que ma mère essaie d'être gentille avec moi, mais je ne veux pas de sa gentillesse. Je veux juste la paix.

Et puis, ça fera du bien à Théo de sortir un peu, après toutes ces semaines confiné à la maison. Il peut maintenant marcher avec une canne. Il lui reste encore trois semaines de physiothérapie, mais il est désormais capable de se rendre seul à ses séances. Il a bien hâte d'en finir avec ses traitements et de reprendre une vie normale.

*   *
*

Mon frère était très content des billets de spectacle. Il a réussi à joindre Serge et celui-ci lui a dit qu'il allait lui en imprimer d'autres. Vive les achats par Internet ! Tout est bien qui finit bien, heureusement. Ma mère ne m'a rien dit quand elle a appris l'incident. Je pensais avoir droit à l'engueulade de ma vie, et pourtant non. Elle avait juste l'air triste. Je sais que je l'ai blessée... Je fais tout à l'envers. Pourquoi suis-je comme ça ? Il y a vraiment quelque chose qui ne tourne pas rond avec moi. J'aimerais demander de l'aide, mais j'ai peur qu'on me pense folle et qu'on veuille me faire enfermer dans un hôpital psychiatrique. Dans le forum sur l'automutilation, j'ai lu que des parents ont fait ça à leurs enfants, en Europe...

*   *
*

L'ÂME À VIF

Je suis seule à la maison lorsque le téléphone sonne. Je le cherche quelques secondes avant de le dénicher, coincé entre deux coussins du sofa. Au moment où je le trouve, la boîte vocale prend le relais et je suis tentée de ne pas répondre. Je jette un œil sur l'afficheur. Numéro masqué. Croyant à une urgence, je me hâte de décrocher.

– Allô !

– Bonjour... Angélique ? demande une voix d'adolescente que je ne connais pas.

– Oui, c'est moi ! Qui parle ?

– Je m'appelle Salomé...

Salomé ? Je n'en connais qu'une seule. L'autre fille de mon père. Pas besoin de demander s'il s'agit bien d'elle. Mes jambes deviennent molles tout à coup, et je dois m'asseoir pour ne pas tomber.

– Angélique ? reprend la voix, inquiète devant mon silence. Ne raccroche pas, je t'en prie !

– Qu'est-ce que tu veux ? craché-je le plus fermement possible dans le combiné.

– Te voir.

– Quoi ? Es-tu folle ?

Ma voix a brusquement grimpé dans les aigus.

– Écoute, mon père... euh, ton père... euh, *notre* père ne sait pas que je t'appelle. C'est important, j'ai quelque chose à t'annoncer.

– Eh bien, vas-y, parle ! Pas besoin de se voir pour ça !

– Oui... Je veux te rencontrer. Je préfère ne pas en parler au téléphone.

Elle m'inquiète. Qu'y a-t-il de si important ? Mon père est-il malade ?

Comme si elle lisait dans mes pensées, Salomé enchaîne :

– Rassure-toi, Paul va bien !

Paul. Elle appelle mon père par son prénom...

– Si tu peux, on se retrouve demain matin à dix heures, au café près de ton école, me propose-t-elle.

– Comment tu sais à quelle école je vais ? dis-je, étonnée.

– Ça fait partie des choses dont on doit parler... Demain, dix heures. Je porterai un manteau rouge, tu ne pourras pas me manquer.

– Moi, j'aurai un mant...

L'ÂME À VIF

– Ça va, je te reconnaîtrai ! À demain !

Elle raccroche avant que j'aie eu le temps de lui demander comment elle saura me reconnaître, puisqu'on ne s'est jamais vues. Je suis tellement abasourdie qu'il me faut quelques secondes avant de raccrocher. Qu'est-ce qu'elle me veut ?

10

LA RENCONTRE

Je me trouve stupide de ne pas avoir demandé son numéro de téléphone à Salomé. Maintenant, je ne peux pas lui dire que je n'irai pas à notre rendez-vous demain. Après réflexion, je ne veux rien savoir d'elle, ni de mon père. En plus, je trouve ça vraiment bizarre qu'elle m'ait donné rendez-vous ce lundi... Comment savait-elle que c'était congé pédagogique à mon école ?

J'essaie de me concentrer sur mes maths, mais mon esprit s'envole, bien loin des formules compliquées de l'exercice. Pendant une seconde, je me dis que je vais aller au rendez-vous, car je veux savoir ce qu'elle a de si important à m'annoncer. La seconde d'après, je me dis que je n'ai rien à faire avec cette fille-là.

Après une heure de cette torture mentale, mon cerveau est sur le point d'éclater. Je referme mon livre de maths d'un geste brusque et je me rends à la cuisine pour attraper un yogourt dans le frigo. Au même moment, la porte d'entrée s'ouvre sur mon frère.

– Salut, p'tite sœur !

– Salut ! Ça s'est bien passé, ta physio ?

– Regarde, sans les mains ! s'exclame-t-il en posant sa canne contre le mur et en s'avançant vers moi. C'est *cool*, non ?

Je lui adresse un grand sourire. Mon soulagement est évident et je me jette dans ses bras en pleurant.

– Hé, tout va bien ! dit-il en me serrant contre lui, tandis que des sanglots me secouent violemment. M'accorderais-tu cette danse ?

Mon frère tourne sur lui-même pour m'entraîner avec lui.

– Idiot ! lancé-je en reniflant bruyamment.

Impossible de dire combien je suis soulagée. Malgré tout, une petite part de moi n'arrive pas encore à me pardonner. Y arriverai-je un jour ?

*   *

*

Neuf heures cinquante-deux. Ça fait dix minutes que je fais les cent pas autour du café, incapable d'y entrer. La curiosité me titille, l'appréhension aussi.

Je m'apprête à faire demi-tour pour m'éloigner lorsque, du coin de l'œil, j'aperçois un manteau rouge au bout de la rue. Une fille s'approche. Elle porte un bonnet de laine de la même couleur que son trois-quarts. Je me dépêche de me cacher derrière une camionnette, les yeux fixés sur l'entrée du café. La fille s'arrête devant la porte vitrée, regarde à gauche, puis à droite, avant d'entrer. C'est sûr que c'est Salomé. Elle semble plus grande que moi, mais pas de beaucoup. Elle est un peu plus grassouillette par contre, ce qui me tire un sourire de satisfaction. S'il avait fallu qu'elle ressemble à Miss Univers, j'aurais capoté ! Mais elle a l'air d'une ado normale, comme moi.

Un coup d'œil à ma montre, il est dix heures tapantes. J'inspire profondément. C'est maintenant ou jamais. J'y vais ou je m'enfuis.

Quelques secondes plus tard, je me retrouve dans le café. Salomé est assise en face de la porte, alors bien sûr, elle m'interpelle dès que j'entre.

– Hé, Angélique !

Je me demande vraiment comment elle peut savoir que c'est bien moi... Seule possibilité : elle a vu des photos récentes de moi. Mais comment les aurait-elle eues ? Je suis mal à l'aise, j'ai envie de décamper, et pourtant je reste plantée là, à la dévisager.

– Viens t'asseoir !

Elle me désigne la place libre à sa table.

– Je suis contente de te rencontrer enfin ! s'exclame-t-elle, beaucoup trop enthousiaste à mon goût.

Je ne peux pas en dire autant. Je la fixe en mettant le plus de fureur possible dans mon regard. Apparemment, ça ne fonctionne pas, car elle poursuit son monologue avec entrain :

— Je suis tellement heureuse d'avoir une demi-sœur.

Ah oui ? Eh bien, pas moi !

— Tu bois quelque chose ?

Elle se lève aussitôt et se dirige vers le comptoir pour passer sa commande. Elle me donne le tournis, cette fille ! À première vue, c'est quelqu'un de beaucoup plus énergique et extraverti que moi... Elle ne me ressemble pas du tout. Si ce n'est qu'on a les mêmes yeux gris. Moi qui les trouvais uniques... Déception !

Je la rejoins au comptoir et me commande un chocolat chaud. Elle a déjà sorti son argent et paie nos deux boissons.

— Ça va, je vais payer le mien, grincé-je du bout des dents.

— Je peux bien t'offrir un chocolat, c'est moi qui a demandé à te rencontrer !

— On dit c'est moi qui *ai* demandé.

Théo serait fier de moi. Salomé esquisse une grimace. Je suis contente de lui clouer le bec pendant quelques secondes. Mais bien entendu, ça ne dure pas. Autant je cherche la discrétion, autant elle a l'air de préférer être le centre d'attraction.

– Tu ne peux pas savoir combien j'avais peur que tu ne viennes pas ! reprend-elle sur un ton toujours aussi énervé – et énervant !

Allez, accouche que je m'en aille !

– Je suis heureuse de te rencontrer aussi..., m'entends-je dire.

Qu'est-ce qui me prend ?! Je dois rectifier le tir, sinon elle va vouloir qu'on devienne amies...

– Mais, euh, je n'ai pas beaucoup de temps !

Je fais semblant de consulter ma montre.

– Qu'avais-tu de si important à me dire ?

Pourvu qu'elle ne m'annonce pas qu'elle a besoin d'un rein ou d'une greffe de moelle osseuse et que je suis la seule personne compatible. Je ne sais pas si j'accepterais de lui sauver la vie !

Salomé prend le temps de déguster une gorgée de son chocolat chaud, avant de déclarer :

– Eh bien, voilà : dès demain matin... j'irai à la même école que toi !

Je manque m'étouffer et le liquide me sort par les narines. Je dois tousser, me racler la gorge et me moucher dans ma serviette de papier pour retrouver mon souffle. Salomé me dévisage, alarmée.

– Ça va ? s'inquiète-t-elle.

– Oui... oui..., bégayé-je, totalement déconcertée. P... pourquoi à MON école ?

– Paul s'est trouvé un nouveau travail dans le quartier, reprend-elle. Alors c'était plus pratique pour nous de déménager, car il aurait été obligé de traverser la ville deux fois par jour.

Tiens, mon père habitait à l'autre bout de la ville... Je ne le savais même pas !

– On a emménagé dans notre nouvel appartement entre Noël et le jour de l'An, et j'ai été inscrite à ta polyvalente.

Une fois encore, cette information me fait sourciller.

– Est-ce que notre père savait que j'allais à cette école ? la questionné-je, le nez plongé dans ma tasse.

– Oui. Mais en réalité, c'est moi qui lui ai demandé d'aller à la même poly que Théo et toi. Vous êtes ma famille et je veux apprendre à vous connaître, partager des choses avec vous. C'est normal, non ?

Non. Non. Nooooooon. C'est pas normal. Moi, je ne veux rien partager avec toi !

– Ouais, peut-être...

C'est la seule chose que je parviens à rétorquer.

Pendant quinze minutes encore, Salomé me parle de notre père, de sa mère, d'elle, de leur vie, de leurs projets. Mais si je semble l'écouter, en fait je maudis intérieurement la vie de lui avoir permis de s'inviter dans mon existence. Ça doit être mon karma, après ce que j'ai fait à Théo...

– Je suis vraiment heureuse de te rencontrer, me répète Salomé, les yeux pétillants.

Tu l'as déjà dit. Moi, je ne veux pas te connaître. Point final.

Je me lève pour enfiler mon manteau.

– Bon, faut que j'y aille, j'ai des choses à faire.

– Oui, bien sûr ! On se voit demain matin à l'école ! s'enthousiasme-t-elle. Comme je ne connais personne et que je n'ai pas eu le temps de visiter, j'espère que tu pourras me présenter tes amis et m'aider à m'orienter un peu dans les corridors.

Ben oui, c'est ça ! Tu peux toujours courir.

Je ne réponds rien, mais Salomé se lève rapidement pour me serrer dans ses bras sans que j'aie le temps de réagir. Puis elle me fait une bise sur la joue. Ahhhhhhhhhh ! Cette fille me tue ! Je ne peux pas croire que je vais être prise avec ce pot de colle jusqu'en juin !

– Bye, dis-je en me précipitant à l'extérieur.

Pour ne pas lui donner l'occasion de me rattraper ou, pire, de me proposer de me raccompagner
chez moi – ce serait tellement son genre ! –, je cours
pendant tout le trajet du retour, malgré la neige et les
trottoirs mal déblayés.

De nouveau, l'angoisse me serre la poitrine.

Comme si je ne souffrais pas déjà assez ! Maintenant, tous les jours, pendant des mois, je devrai
endurer la présence de la fille que je déteste le plus
au monde, celle qui m'a volé mon père, qui a détruit
ma famille.

Non. Je suis injuste. C'est sa mère qui a détruit
ma famille. Si on y pense, Salomé n'y est pour rien.

Mais qu'est-ce qui me prend, tout à coup, à
ressentir de la pitié pour elle ?

11

PEAUD'ÂME

En ce premier jour d'école après le congé des fêtes, je peux résumer mes activités de l'avant-midi en deux mots : éviter Salomé. Heureusement, elle n'est pas avec moi en français, ni en univers social.

À midi, je me dépêche d'aller m'asseoir à la table de Laurianne, de Javier et des XYZ, plutôt que d'être coincée avec ma demi-sœur. Je l'ai aperçue dans la file de la cafétéria, en train d'attendre son repas. Une chance que j'avais mon lunch !

Mais même assise au fond de la salle, je ne suis pas tranquille. Lorsque je vois Salomé inspecter les tables en s'étirant le cou, je laisse tomber ma four-chette sur le sol, créant une occasion de me pencher et ainsi d'échapper à son regard.

En me relevant len-te-ment, je me rends compte qu'elle a fini par s'installer à côté d'un groupe de filles. J'en déduis qu'elle a dû partager ses cours du matin avec elles. Tant mieux ! Je croise les doigts pour qu'elle ne soit pas dans ma classe cet après-midi...

Mon lunch englouti, je fausse compagnie à Laurianne et à ses amis pour filer à la bibliothèque. J'espère que je ne serai pas obligée de fuir comme ça pendant des mois... Pfff !

À la bibliothèque, je m'installe devant un ordinateur et fais quelques recherches pour mon travail de français. Il y a ça de bon à vouloir échapper à Salomé ; je vais sûrement avoir de meilleures notes.

Le reste de la journée se passe plutôt bien. Je réussis à éviter mon pot de colle de demi-sœur. Dès que la cloche sonne, je ramasse mes affaires, puis je sors de l'école au pas de course.

De retour à la maison, je m'enferme dans ma chambre pour décompresser un peu avec mon exacto jaune.

Dix minutes plus tard, j'entends la sonnerie de Skype.

– T'es partie rapidement tantôt ! s'exclame Laurianne lorsque je prends la communication. Ça va ?

Puisque Salomé ne compte pas pour moi, je n'ai rien dit de notre rencontre à ma meilleure amie.

– Oui, ne t'inquiète pas ! J'avais promis à Théo de revenir vite, car nous devons aller magasiner ensemble avant la fermeture des magasins.

– Hein ? Il reste à peine une heure ! Et depuis quand tu magasines avec ton frère et pas avec moi ?!

Je vois la moue sur le visage de ma *best*.

– Il veut que je l'aide à trouver son habit pour le bal des finissants.

– Mais c'est dans six mois, vous avez le temps !

De quoi elle se mêle ?! Elle m'énerve quand elle cherche à me prendre en défaut...

– Bon, je dois y aller. Bye !

Laurianne fronce les sourcils, puis me dit au revoir. Je soupire en raccrochant.

Je vais faire un tour rapide sur Facebook. Comme j'ai peu d'amis (surtout des cousins et cousines), mon fil d'actualité n'est pas tellement occupé. Je n'ai aucun message. Aucune nouvelle demande d'amitié non plus. Je ne suis vraiment pas la fille la plus populaire de l'école !

Je tape l'adresse du forum : Chere_a_vif.fr. Depuis le mois de novembre, je l'ai consulté à quelques reprises pour lire les témoignages de filles et de garçons qui souffrent comme moi, mais je n'ai pas encore osé y parler de mon cas. Je le trouve insignifiant par rapport à leurs histoires...

PetitCanardNoir (Strasbourg, France, 16 ans)

Il y a deux ans, j'ai commis une grave erreur. Je n'ai pas pu résister et je me suis mutilée devant ma meilleure amie. Est-ce que c'était pour la provoquer ? Ou un appel à l'aide ? Je ne le sais toujours pas. Elle en a été horrifiée et a prévenu ma mère. Ça ne m'a pas aidée, au contraire ! Ma mère a hurlé en voyant mes cicatrices et elle a menacé de m'enfermer dans un hôpital psychiatrique. J'ai eu peur et j'ai réussi à arrêter pendant trois mois. Mais j'ai recommencé à la suite d'une violente dispute avec mon beau-père. Je croyais être capable d'arrêter toute seule... Il n'en est rien. Par contre, je ne suis pas encore prête à demander de l'aide.

TheBlues (Paris, France, 13 ans)

Mes parents m'ont obligée à voir un psy l'an dernier. Depuis quelques mois, j'ai interrompu ma thérapie. Je n'ai jamais pu parler de ce que je fais avec mes amies, alors encore moins avec un inconnu ! Tout ce que je demande aux gens, c'est de me comprendre sans juger. Mais ça, c'est difficile, semble-t-il. Je hais les gens.

PeaudeChagrin (Saguenay, 15 ans)

Je ne comprends pas du tout ce qui m'arrive. Ça fait trois mois que je me coupe. Dès que je sens que je vais mieux, ça me fait paniquer. On dirait que je ne veux PAS aller bien. Pourquoi est-ce que je cherche absolument à me faire mal ? Peut-être pour que Francis, mon ex, me remarque. Parce que la première fois que je me suis coupée avec la pointe d'un crayon, c'était à cause de lui. J'ai pas supporté qu'il rompe avec moi pour sortir avec la fille que je déteste le plus.

Mes yeux terminent la lecture du dernier message, puis je me laisse aller à ma première confidence.

Peaud'âme (Montréal, Canada, 14 ans)

J'ai commencé à me couper il y a cinq mois, après l'accident de mon frère. Il a failli mourir à cause de moi. Je n'ai jamais été une fille populaire à l'école. J'ai tendance à me sous-estimer, à me rabaisser, à culpabiliser pour tout... Depuis que je me coupe, j'aime de plus en plus être seule. Je ne me suis jamais isolée comme ça avant. Je n'avais pas beaucoup d'amies, mais je passais quand même pas mal de temps avec ma best, on partageait tous nos secrets. Là, je recherche la solitude complète. C'est comme si je cherchais à saboter toutes mes chances d'être heureuse.

Je relis trois fois mon intervention avant d'oser la publier. Je ne m'attends pas à une réponse, mais on dirait que le fait de me confier à des gens qui souffrent du même trouble que moi, ça me soulage un peu. Personne n'est là pour me juger. Enfin, je l'espère !

Je n'ai pas parlé de Salomé dans mon billet. Peut-être une prochaine fois... Puis je me mets à explorer les différentes rubriques du forum et je clique sur : « Cacher ses cicatrices. »

PetitCanardNoir (Strasbourg, France, 16 ans)

Il existe des pommades pour accélérer la cicatrisation, notamment des crèmes avec de la vitamine E. C'est assez cher, par contre. Sinon, vous pouvez utiliser du fond de teint pour masquer les coupures superficielles.

Les pulls à manches longues, c'est parfait pour le printemps, l'automne et l'hiver. Si vous avez seulement quelques coupures au poignet, vous pouvez porter des t-shirts et mettre de larges bracelets. Si vous allez à la plage, roulez-vous discrètement dans le sable pour camoufler vos marques, enveloppez-vous aussitôt dans votre serviette en sortant de l'eau ou, si vous avez des cicatrices sur le ventre, dites que votre peau est sensible au soleil, cela vous donnera un prétexte pour rester en t-shirt. Je me suis fait faire un tatouage sur ma première cicatrice pour que les autres ne la remarquent pas, mais ainsi je ne l'oublie pas ! ;-)

Tristounette (Longueuil, Canada, 16 ans)

Moi, j'ai complètement changé de look. Maintenant, été comme hiver, je porte des vraies mitaines, celles qui laissent les doigts à découvert, mais qui couvrent l'avant-bras jusqu'au coude. J'en ai même en dentelle noire. Ça fait un peu gothique, même si je ne le suis pas, mais au moins ça éloigne les curieux.

Rosedudésert (Casablanca, Maroc, 19 ans)

Eh bien, moi, je préfère ne pas cacher mes cicatrices ! Je ne voudrais jamais qu'elles disparaissent. Elles témoignent de mes crises, de ma douleur. Aujourd'hui, je vais mieux, et chaque fois que je les regarde, elles me rappellent à l'ordre et m'enlèvent l'envie de recommencer. Elles reflètent le mal-être profond que je ressentais et la façon destructrice que j'ai utilisée pour le manifester. J'ai toujours de la peine quand je les vois, mais d'une certaine façon, elles me poussent à avancer.

Gerbille (Alger, Algérie, 13 ans)

Je suis tout à fait d'accord avec Tristounette. Mes cicatrices, je les ai sur une partie du corps que je n'expose jamais au regard des autres. Il n'y a que moi qui sache. Ça fait trois ans que j'ai commencé et jamais personne ne s'est aperçu de quoi que ce soit. Tant mieux !

PetitCanardNoir (Strasbourg, France, 16 ans)

Hum, Gerbille... Tu dis ça maintenant, mais un jour, tu vas sans doute rencontrer un garçon, et là, tu seras bien obligée de te mettre à nu, non ?

Je constate que Gerbille n'a pas répondu à ce message, publié depuis presque une semaine, et la question soulevée par PetitCanardNoir m'interpelle. En effet, nos cicatrices finiront bien par être vues de quelqu'un... ne serait-ce qu'au moment de passer un examen médical. Comment les expliquer, dans ce cas ? Et celles qui ont un petit ami, elles font comment ? Prétendre qu'on s'est blessée en coupant des tomates, ça doit passer une fois, mais pas deux. Et puis, des coupures sur les mollets et les biceps, ça ne se fait pas en cuisinant ! Ça doit finir par attirer l'attention des autres de toujours porter un bandage, des pansements ou des manches longues en plein été.

De mon côté, comme ma mère ne s'intéresse guère à moi, je ne crois pas qu'elle sera celle qui découvrira mon secret. Je m'inquiète plus de ma grand-mère, de Laurianne et de mon frère... Je ne voudrais pas leur faire peur. Ce n'est pas contre eux que je fais ça, c'est contre moi, contre mon mal de vivre. Mais il va falloir que je songe sérieusement à trouver une explication crédible s'ils commencent à avoir des soupçons et à me questionner.

- 12 -

MA DEMI-SŒUR
UN-PEU-MOINS-ÉNERVANTE

Les deux derniers mois ont été d'une longueur infinie. Je me coupe tous les jours depuis trois semaines. De plus en plus profondément, à la moindre occasion, à la plus petite contrariété. Ça devient presque un automatisme. Je me sens happée dans une spirale. Ma mère me fait une réflexion que je n'aime pas ? Chlick ! une coupure. Mon frère me bat à la Xbox ? Allez hop ! la lame glisse sur ma peau. Laurianne refuse qu'on aille magasiner, préférant la compagnie de Javier ? Une occasion supplémentaire de me taillader. Un prof donne un travail qui me contrarie, et voilà une blessure de plus sur mon bras, mon mollet ou ma cuisse... Je commence à en avoir partout !

Lorsque je me coupe, je ne perçois plus de douleur immédiate ou très peu. Comme si ma peau dressait une barrière entre la douleur physique et celle que je ressens en moi. C'est difficile à expliquer. La sensation n'est pas la même si je me coupe en tranchant des oignons, par exemple. Là, ça fait vraiment mal à en pleurer.

Je me mutile moins souvent à l'école, car c'est plus difficile de m'isoler depuis que Salomé est sans arrêt derrière mon dos. Eh oui, même si j'ai tout fait pour la fuir, ma demi-sœur ne m'a pas lâchée d'une semelle au cours de ces derniers mois.

– Salut, sœurette ! me lance-t-elle justement en arrivant près de mon casier.

– Salut ! Ça va ? dis-je avec un sourire.

Ça vous étonne, hein ? Disons que petit à petit, on a fini par mieux se connaître et qu'elle ne me tape plus sur les nerfs comme avant. Et tout cela grâce à qui ? Théo !

En voyant que je la fuyais, Salomé s'est beaucoup interrogée sur mon comportement et a fini par se rapprocher de mon frère pour en savoir plus à mon sujet. Comme Théo prend son rôle de grand frère très au sérieux, il a vu en notre demi-sœur une amie potentielle pour moi. Et puis, il faut dire qu'il avait bien envie que je le lâche un peu pour pouvoir se concentrer sur Mégane, ma victime de l'automne dernier. Au début de février, il a donc organisé un party à la maison pour son anniversaire et a invité quelques-uns de ses amis à lui, ainsi que Salomé, Laurianne et Javier. Tout ça à mon insu, évidemment, parce que son but était que j'apprenne à connaître notre demi-sœur dans un autre contexte que l'école. Ce soir-là, ma mère était sortie avec Serge. Lorsqu'ils se sont tous pointés chez moi, j'ai cru mourir. Je suis aussitôt allée dans ma chambre avec la ferme intention d'y passer la soirée, mais Laurianne m'en a sortie sans s'occuper de mes prétextes bidon.

— Non, tu n'as pas mal à la tête ! Et tu ne peux pas déjà être fatiguée, il est seulement dix-neuf heures. Tu n'as pas non plus un urgent travail de sciences à terminer, je le saurais, j'aurais le même ! Allez, Angélique, tu dois cesser de t'enfermer de peur de... De quoi au juste ? Tu vas voir, on va vraiment avoir du *fun* ! Et puis, ta demi-sœur est super gentille, tu n'as pas de raison de la fuir. Viens !

Je l'ai suivie jusqu'au salon, où tout le monde était réuni. Finalement, au bout d'une trentaine de minutes, je me suis rendu compte que je me sentais bien et que même les élèves de cinquième secondaire me parlaient normalement, sans me faire sentir idiote ou trop jeune. On a ri, discuté, dansé, et la soirée a filé à la vitesse de l'éclair.

Laurianne et Javier sont partis les premiers, bientôt suivis des amis de Théo. Il n'est plus resté que Mégane, Salomé, lui et moi, et nous avons entrepris de ranger l'appartement.

— Ça te dérange si je vais dormir chez Mégane ? m'a demandé mon frère vers minuit et demi. Tu vas rester seule ici, car maman rentrera probablement seulement demain matin.

— Non, non, vas-y ! Je suis assez vieille pour me garder toute seule.

En réalité, ça m'embêtait. Depuis que mon frère avait repris l'école, une semaine plus tôt, il était encore plus populaire qu'avant. J'avais l'impression de le perdre.

– Hé, je peux dormir ici avec toi, si tu veux ! s'est exclamée Salomé qui nous avait écoutés l'air de rien.

« Non, pitié ! Pas elle ! » me criait ma voix intérieure.

Je lançai un regard désespéré à mon frère, mais tout ce qu'il trouva à dire, c'est :

– Quelle bonne idée ! Vous allez pouvoir faire plus ample connaissance !

Ah, le traître ! Le salaud !

J'ai eu l'impression qu'il avait tout manigancé... Sinon, pourquoi était-elle encore là, alors que tous les amis de Théo et les miens étaient déjà partis ? La fureur revenait en moi. Il me fallait une lame, n'importe quoi de tranchant, là, tout de suite, pour évacuer ma rage. J'ai couru vers ma chambre pour retrouver mon exacto. Je venais à peine de m'entailler le bras lorsque ma porte s'est ouverte. Merde ! J'avais oublié de la verrouiller !

– Angéli... Qu'est-ce que tu fais ?!

Sur le pas de ma porte, Salomé me dévisageait avec ses grands yeux gris écarquillés d'horreur.

L'ÂME À VIF

– Fous le camp de ma chambre !! Et dégage de chez moi, tant qu'à y être ! ai-je hurlé.

Comme j'étais en larmes, elle s'est approchée, s'est assise sur mon lit pour m'enlacer les épaules. Je me suis laissé faire. Les bons moments passés ensemble pendant la soirée avaient-ils eu raison de mon aversion pour elle ? Ou avais-je simplement besoin de chaleur humaine ?

Elle m'a bercée, alors que je pleurais toutes les larmes de mon corps, totalement hors de contrôle. Au bout de quelques minutes, elle a pris mon visage entre ses mains pour me regarder droit dans les yeux.

– Tu te fais du mal... pourquoi ? a-t-elle murmuré. Je suis là, si tu veux en parler. Je ne te juge pas.

« De quoi je me mêle ! » criai-je intérieurement. Et pourtant, je ne la repoussai pas.

Incapable de me confier, j'ai gardé le silence et elle n'a pas insisté. Puis, après une dizaine de minutes, elle a commencé à me parler.

– Écoute, je ne peux pas ressentir ce que tu ressens, mais je peux essayer de te comprendre.

Non c'est impossible, personne ne comprend !

– Je ne te demande pas d'arrêter... mais d'y penser.

Tu n'es pas ma mère, pas de ma famille. Je ne veux pas de tes conseils !

– Je peux sûrement t'aider... J'ai une amie qui s'est mutilée pendant deux ans, je me suis déjà renseignée et je peux te donner des moyens de combattre l'envie de te faire mal lorsqu'elle est trop forte. Et si ce n'est pas suffisant, je peux peut-être en parler à quelqu'un de mieux placé que moi ?

Pour qu'on m'enferme ? Ben oui, c'est ça, Salomé-la-psy ! Fiche-moi la paix !

– Parle-moi, Angélique. Je suis triste de te voir comme ça...

Bla, bla, bla ! Pas besoin de ta pitié !

– Depuis quand est-ce que tu t'automutiles ?

Ça ne te regarde pas.

– Est-ce que tu le fais souvent ?

Hé, tu vois bien le nombre de cicatrices sur mes bras, j'ai pas commencé hier !

– Ça te dérange de m'en parler ?

Ha, ha ! Bravo, t'as deviné ça toute seule ?

– Je préférerais que tu t'en ailles..., ai-je dit en soupirant.

– Il est une heure du matin, a-t-elle répondu en consultant sa montre, je ne veux pas marcher toute seule dans la rue en pleine nuit.

Hum !... S'il lui arrivait quelque chose, je serais vraiment dans de sales draps.

– Si tu veux, je dormirai dans le salon, a continué Salomé. Tu me prêtes un pyjama ?

– T'as pas tes affaires !

– Euh, non !... Ce n'était pas prévu que je reste...

– Et Paul, il va pas s'inquiéter ?

– Je lui ai téléphoné tantôt.

Elle a exhibé son téléphone cellulaire. Ma grimace en a dit long sur mes pensées. Je n'ai même pas de cellulaire, moi. Ma mère dit toujours qu'elle n'a pas les moyens de nous en offrir un. Théo a économisé son argent de poche pour acheter le sien. J'aurais pu faire comme lui, mais j'ai préféré dépenser mes sous pour acheter des magazines « insignifiants », comme dit mon frère.

Finalement, j'ai accepté que Salomé reste. Et elle n'a pas dormi dans le salon, je lui ai fait une place dans mon lit. Nous avons placoté une partie de la nuit, de sa vie, de la mienne, de nos rêves, de nos amis, de nos parents. Elle a respecté ma décision de ne pas parler de ma souffrance.

Voilà, c'est comme ça que j'ai finalement fait la connaissance de ma « sœur ». Elle insiste pour qu'on laisse tomber le demi...

*   *

*

– Hé, oh ! Angélique ! Tu rêves ou quoi ? me lance Salomé en refermant son casier.

– Je repensais à la soirée d'anniversaire de Théo, dis-je avec un sourire.

Elle hoche la tête.

– Tu sais, mon offre tient toujours, concernant tu sais quoi... Si tu veux en parler, tu peux me faire confiance, je ne dirai rien à personne.

– Hmmm... peut-être..., dis-je, évasive, avant de changer de sujet. La semaine de relâche commence demain et je me disais qu'on pourrait faire des activités ensemble, comme aller à la Fête des Neiges ou au cinéma.

– Ah, je suis heureuse que tu me le proposes ! se réjouit Salomé. Justement, Laurianne et Javier m'avaient déjà demandé si je voulais me joindre à vous. Mais je suis contente que l'invitation vienne de toi aussi.

J'apprécie de plus en plus sa compagnie. Elle fait pratiquement partie de la gang maintenant. En plus, elle a tenu sa langue et n'a dévoilé à personne que je me coupe. Elle est digne de confiance. Et elle ne semble pas horrifiée par mes gestes, ni avoir de la pitié pour moi. Ça me rassure de la savoir là pour moi...

- 13 -

UNE FOIS DE TROP

Salomé veut m'inviter chez elle, mais je ne me sens pas du tout prête à voir mon père. Je lui ai expliqué mon point de vue, et elle n'a pas cherché à me convaincre de passer par-dessus mon malaise. Finalement, par téléphone, nous décidons de passer la soirée ensemble chez moi.

Je ne dirais pas que ma sœur a remplacé Laurianne à titre de meilleure amie, mais comme ma *best* est plus souvent avec son *chum*, j'ai moins le sentiment d'être abandonnée maintenant qu'elle est là. Surtout qu'avec Théo et Mégane, ainsi que Serge et ma mère, qui filent le parfait amour, je me retrouve seule à l'appartement plus souvent qu'à mon tour. Bof ! Pas d'amoureux signifie aussi des problèmes en moins ! Je ne me sens pas prête à être en relation avec un gars, j'ai trop de douleur au fond de moi pour faire de la place à l'amour. Et si j'essayais et que ça ne marchait pas, hein ? Je n'y survivrais pas...

*   *
*

La semaine de relâche est terminée ; demain, on retourne en classe. Mais je suis contente, nous avons eu beaucoup de plaisir à la Fête des Neiges tous ensemble. Nous sommes aussi allés au cinéma, magasiner, et même écouter de la musique rap chez Javier pendant tout un après-midi, avec les XYZ. Je ne me suis pas coupée une seule fois de toute la semaine. Ce n'est pas parce que l'envie m'en est passée, c'est juste que je n'ai pas eu beaucoup de temps seule, et... je ne veux pas décevoir Salomé, alors j'essaie de tenir bon. Je me sentirais trop coupable si je continuais pendant qu'elle, elle essaie de me changer les idées pour m'aider.

La sonnette de la porte retentit. Justement, c'est Salomé ! Cette dernière soirée de vacances, on va la passer juste elle et moi.

– Salut, petite sœur ! fait-elle en s'étirant vers moi pour me serrer dans ses bras.

Elle aime bien me taquiner avec le fait qu'elle a six mois de plus que moi.

– Allô !

Elle retire son manteau rouge, son bonnet, ses gants et me suit dans le salon. J'ai préparé des croustilles, du fromage et des jus, mais aussi des crudités, car j'ai remarqué, en allant manger avec elle et notre gang d'amis, qu'elle a l'air d'aimer ça. J'ai prévu de faire livrer une pizza un peu plus tard. Je l'invite à s'asseoir, et pendant une bonne minute nous restons face à face, sans rien nous dire.

– C'est *cool* ! s'exclame-t-on en même temps.

On éclate aussitôt d'un petit rire nerveux.

– Est-ce que ta mère sait que je suis ici pendant son absence ? demande brusquement Salomé, qui semble inquiète.

– Non. Mais t'en fais pas, même si elle le savait, elle s'en ficherait !

– Ne dis pas ça. Je ne suis pas sûre qu'elle apprécierait d'avoir la fille illégitime de son ex sous son toit, soupire Salomé en fixant une photo, prise il y a cinq ans, de ma mère, Théo et moi.

Je me mords les lèvres. Effectivement. Salomé est quand même la fille que mon père a eue avec sa maîtresse. Théo et moi avons choisi de ne pas lui parler de l'arrivée de notre demi-sœur dans notre vie. Cette idée m'amène un sourire sur le visage. Je donnerais n'importe quoi pour voir sa tête si elle découvrait la vérité. Elle péterait sa coche, c'est certain ! Mais... ça la ramènerait aussi probablement quatorze ans en arrière et ça lui ferait de la peine...

– Est-ce que tu lui as parlé de moi ? relance Salomé en buvant son jus à petites gorgées.

– Non. Et t'inquiète pas, je ne lui dirai rien. De toute façon, je me moque de ce qu'elle pense et elle ne s'intéresse pas à mes amis.

– Et Théo ?

– Ben quoi, Théo ?

– Il lui a parlé de moi ? insiste Salomé en plantant ses yeux gris dans les miens.

Je retiens un frisson. Quand elle me dévisage comme ça, j'ai l'impression de me regarder moi-même puisqu'on a les mêmes yeux.

– Non. En fait, je ne sais pas ! Et puis, on s'en moque. Arrêtons de parler de ma mère !

Ma voix est montée d'un ton et je détourne le regard.

Salomé, elle, a-t-elle parlé de moi avec mon père ? Je n'ose pas lui poser la question, de peur de connaître la réponse.

Quand je m'étire pour prendre une poignée de croustilles, ma manche remonte et dévoile mon avant-bras marqué de cicatrices anciennes.

– Est-ce que ça fait mal ? me questionne Salomé.

Un instant, je me demande de quoi elle parle, parce que je n'ai pas vu sa question venir, puis je remarque qu'elle fixe mon bras.

Je grimace. Je n'ai pas trop envie de m'étendre sur le sujet, mais en même temps, je pense qu'en parler, ça me ferait peut-être du bien. Et puis, elle m'a déjà dit qu'elle avait connu quelqu'un qui l'avait fait, donc elle ne me jugera pas.

– Tu sais, on ne fait pas ça pour savoir si ça fait mal, me confié-je en tirant sur ma manche. Il y a toujours une bonne raison, même si beaucoup de gens ne peuvent pas comprendre.

– Oui, je sais. Mon amie Tara, dont je t'ai déjà parlé, m'a dit que c'était la seule façon qu'elle avait trouvée pour exprimer sa souffrance émotionnelle.

– Oui, c'est en plein ça.

– Et toi, qu'est-ce qui te fait autant souffrir ?

Je la dévisage. Comment lui dire que c'est sa naissance à elle qui est probablement à la base de tout ? Mes pensées se bousculent. Je ne veux pas la blesser.

– Il y a un message dans chacune de tes cicatrices, pas vrai ? poursuit Salomé.

Je hoche la tête, affirmative. Ma sœur a seulement six mois de plus que moi, mais je la sens beaucoup plus mûre. Elle est bien dans sa peau et ne semble avoir aucun doute sur son existence, sur l'amour de ses parents, sur ses relations avec les autres, etc. Comme je l'envie !

– Ton amie qui se mutilait, est-ce que tu l'as aidée à arrêter ? demandé-je, perplexe.

– Pas à arrêter... mais j'ai beaucoup lu sur le sujet parce que c'était ma *best* et que je voulais la comprendre.

– Mais si je fais le calcul, tu n'avais que douze ans... et tu as pris le temps de te documenter ?

Là, je suis abasourdie. Ma sœur est vraiment plus adulte que moi !

– Non, j'étais encore trop jeune à ce moment-là. J'ai fait des recherches il y a quelques mois seulement, quand Tara est passée à l'acte... une fois de trop, me confie Salomé, avec soudainement des larmes plein les yeux.

Je ne suis pas sûre de saisir. Mon front plissé lui indique mon incompréhension.

– Elle s'est suicidée accidentellement, m'assène-t-elle d'un seul coup.

Ma respiration se bloque. Je n'arrive plus à parler, ni même à penser.

– Alors elle est... elle est..., bafouillé-je.

– Morte, finit Salomé.

Le choc est si grand que j'ai l'impression que je vais m'évanouir.

– Mais, je... je ne comprends pas ! marmonné-je. Moi, je ne veux pas mourir... c'est tout le contraire ! Quand je fais ça, je me dis souvent : « Maudite souffrance, tu crois me faire du mal ? Eh bien, regarde ! Je suis capable de me faire pire toute seule ! »

– Je sais. Tara disait qu'elle se mutilait parce qu'elle savait comment et sous quelle forme cette souffrance-là allait arriver.

– Mais... c'était un accident ?

– Je crois. Elle est allée trop loin. Elle était seule chez elle. En réalité, je ne saurai jamais si c'était volontaire ou accidentel, mais elle s'est entaillé les veines du poignet trop profondément. Elle est décédée au bout de son sang, dans son lit, sans personne pour lui venir en aide.

Elle se met à pleurer. Je me sens si triste que je quitte ma place pour m'asseoir près d'elle et la prendre dans mes bras. À cet instant, une pensée me frappe de plein fouet. Si je suis encore capable d'éprouver de la compassion pour les autres, c'est que je ne suis pas totalement passée du « côté obscur de la force », comme dirait Théo. Ça me rassure... Je ne suis peut-être pas aussi égoïste que je me tue à me le répéter.

– Je ne pensais pas revivre toute cette histoire ce soir..., renifle Salomé. Tu dois me trouver pas mal déprimante ! Allez, changeons-nous les idées. Qu'est-ce que t'as, comme films ?

– Une comédie romantique et un vieux film d'horreur, dis-je en guettant sa réaction du coin de l'œil.

– Ah, trop *cool* ! Je pensais être la seule à aimer les films d'horreur ! T'es bien ma sœur, on a des goûts en commun... et pas seulement la couleur de nos yeux.

J'éclate de rire et insère le DVD dans le lecteur. Le film commence. Tout à coup, je sens la satanée boule d'angoisse qui s'installe dans le creux de mon estomac. J'entends de nouveau ma maudite petite voix intérieure qui me reproche mon insouciance et mon bonheur.

Je ferme un instant les yeux et j'inspire profondément. Non, non, NON ! Pas maintenant ! Pas ce soir ! On dirait qu'être heureuse a le même effet sur moi qu'un malheur, et revoilà le manche jaune qui m'appelle. Il n'y a donc aucune issue possible ?!

- 14 -

JALOUSIE

À l'école, c'est toujours un peu la galère. Je sens bien qu'il y a des étudiants qui me méprisent sans raison valable, simplement parce que je suis solitaire, que je ne m'habille pas à la dernière mode, que je ne participe pas vraiment à la vie parascolaire. Ils me lancent parfois des regards insistants, chuchotent sur mon passage, se poussent du coude en ricanant. Je mentirais si je disais que je ne les vois pas, que ça ne me blesse pas. J'essaie de les ignorer. La bataille avec Mégane a pourtant eu lieu il y a longtemps, ils devraient être passés à autre chose ! Je n'ai jamais été victime d'intimidation. On m'a le plus souvent ignorée. Alors, qu'est-ce qu'ils ont ?

Heureusement, grâce à Salomé, Laurianne, Javier et les XYZ, je suis moins seule. On dirait qu'ils se sont donné le mot pour m'inclure dans leurs activités. J'en suis reconnaissante, mais en même temps je ne peux m'empêcher de penser que s'ils font ça, c'est qu'ils ont pitié de moi, parce que je n'ai jamais eu une tonne d'amis.

Les terrains extérieurs de soccer seront accessibles dès les premiers beaux jours du printemps. En attendant, les fins de semaine, les garçons jouent au soccer à l'intérieur. On ne peut pas dire que ça me passionne d'aller les regarder, mais bon... Laurianne réussit à m'y entraîner de temps en temps, pour encourager son *chum*, mais c'est bien pour lui faire plaisir que j'accepte. J'aime mieux quand ils font de la musique dans un studio que leur prête l'oncle de Xavi, c'est plus divertissant.

*   *
*

Pâques approche ! Dernier jour de classe aujourd'hui, et ensuite, cinq jours de congé. Laurianne et toute la bande seront dans leur famille respective. Théo a prévenu qu'il partait avec Mégane faire du ski à Québec. Comme Grand-Maman a une solide grippe, elle ne recevra pas la famille chez elle cette année. Quant à ma mère, elle travaille ; elle a accepté de faire des heures supplémentaires pour accommoder des collègues qui ont de jeunes enfants. Je vais encore me retrouver seule...

Personne ne se soucie de moi, comme d'habitude. Évidemment, je leur ai tous dit que ça ne me dérangeait pas d'être seule, en leur rappelant que les fêtes, c'est bien connu, j'aime pas ça ! Mais au fond de moi, je hurle que ce n'est pas vrai, que j'aimerais avoir des projets intéressants pour Pâques, moi aussi. Que j'aimerais être avec ma famille, partager un bon repas, rigoler... avoir une vie normale, quoi !

L'ÂME À VIF

Je quitte l'école en compagnie de Salomé, qui n'a rien de prévu avant samedi. Je l'ai invitée pour la soirée. Elle est la seule à ne pas m'abandonner.

Comme on a la maison à nous, on décide de se préparer un souper ; j'aime bien faire la cuisine, ça me détend. Elle est en train de couper les légumes pendant que je bats les œufs pour l'omelette, quand je me décide enfin à lui poser la question qui me tourmente depuis plusieurs mois.

– Est-ce que... Paul sait que nous sommes amies ?

Appeler mon père par son prénom, comme Salomé, ça me fait tout drôle. Pourtant, ça me permet de garder une certaine distance entre lui et moi. Comme s'il n'était pas question de mon père, mais d'une vague connaissance.

– En fait, c'est lui qui a choisi de s'installer dans ce quartier et de m'inscrire à ton école, me répond Salomé en souriant. Je crois qu'il espérait bien qu'on finisse par faire connaissance. Tu sais, j'ai toujours su que ton frère et toi existiez, il n'a jamais cherché à vous cacher à ma mère et à moi.

Je plonge dans mes pensées. Qu'il n'ait jamais cherché à me cacher, je veux bien le croire. Ce que je ne comprends pas, c'est pourquoi maintenant, quatorze ans plus tard, il met sa fille sur mon chemin...

– Il y a quelque chose qui me chicote depuis notre première conversation au téléphone, reprends-je. Tu

147

as dit que tu me reconnaîtrais, au café. Comment c'était possible ?

— Oh, tu aurais dû me le demander plus tôt ! Ça n'a rien de sorcier. J'ai vu les photos de toi que ta mère a fait parvenir à Paul, une fois par année, depuis ta naissance.

— Hein ? Ma mère ?! Elle ne m'en a jamais parlé...

Les propos de ma sœur me déstabilisent totalement.

— Les adultes sont tellement compliqués ! soupire-t-elle. Moi non plus, je ne comprends pas leurs cachotteries. Ce serait tellement plus simple s'ils arrivaient à se parler et à se dire les choses ouvertement. Parce que là, c'est toi qui... qui souffres à cause d'eux...

Un silence s'installe. La référence à mon mal de vivre fait ressurgir en moi des sentiments contradictoires.

— Toutes les fois où tu m'as invitée chez toi, est-ce que... Paul le savait ? Est-ce qu'il était d'accord ou tu l'as fait sans sa permission ?

— Les premières fois, je lui ai demandé son autorisation. Il a accepté aussitôt. Il semblait même vraiment content. Quand je lui ai raconté que tu refusais toutes mes invitations, il a paru un peu triste, mais il m'a dit que c'était à toi de décider, que notre porte te serait toujours ouverte. Depuis ce temps, je ne le lui demande plus... Tu peux venir quand tu veux.

Je ne réponds pas. Je suis sous le choc. Mon père dit que sa porte est ouverte alors que ça fait quatorze ans que j'existe et qu'il n'a jamais pris de mes nouvelles ?! Si ma mère lui envoie des photos de moi, c'est qu'ils communiquent, alors pourquoi m'ont-ils laissée dans l'ignorance ? Pourquoi n'a-t-il jamais téléphoné pour essayer de me parler ? J'ai donc si peu d'importance pour qu'ils ne me disent rien ? J'ai l'impression d'être un bibelot, ou le vieux chien dont on prend des nouvelles de loin, sans vouloir s'en occuper, ne serait-ce qu'une fin de semaine sur deux.

Des larmes me picotent les yeux, alors je me hâte de faire couler de l'eau dans une casserole et d'y déposer les légumes pour les blanchir. Je dois occuper mes mains et mon esprit, pour ne pas me laisser avaler par mes problèmes.

— Finalement, je suis contente que tu m'aies appelée ce jour-là, tu sais, dis-je. Je t'aime bien.

— Et moi aussi ! Je suis vraiment heureuse de t'avoir comme sœur !

*   *

*

À mon retour en classe à la fin du long congé, je sens que quelque chose cloche. Après le dîner, en me rendant à ma case, je remarque qu'elle est entrouverte. En m'approchant, je distingue sur le sol mon cadenas cassé. À l'intérieur, je découvre mes cahiers et mes livres déchirés, des feuilles volantes éparpillées, et mes crayons brisés qui ont laissé échapper leur encre sur mes vêtements de sport.

Qui a fait ça ?! Et pourquoi ? Je n'ai jamais été populaire, mais jusqu'à maintenant, personne ne s'en était pris à moi. Des moqueries, des ricanements, oui. Mais jamais de vandalisme.

Je regarde à gauche, à droite. Quelques élèves s'affairent à leur case sans m'accorder la moindre attention. Je ne remarque personne qui ait l'air plus coupable que les autres. Qu'est-ce qui se passe ?

Soudain, devant la pagaille, mon cœur s'accélère. Mon exacto ! Je retire mon sac à dos du casier pour en fouiller la pochette avant... Soulagement ! Il est là, avec ma trousse de toilette. Tiens, même mon portefeuille contenant une vingtaine de dollars n'a pas disparu. Si le vol n'est pas la raison de cette intrusion, qu'est-ce que la personne cherchait ? Je n'ai pas de téléphone cellulaire, et mon lecteur mp3 est toujours sur moi.

Je m'efforce de remettre de l'ordre dans mon casier, de prendre mes affaires pour le cours d'anglais, puis avec mon cadenas de sport, je referme ma case.

Pendant que je me rends vers ma classe, mon esprit passe en revue les coupables possibles. Ça ne peut pas être une simple blague... Il y a une intention malveillante derrière ce geste. Peut-être que quelqu'un en veut à quelqu'un d'autre et s'est trompé de casier, qu'il n'a pas vandalisé le bon ? Je ne vois pas d'autre explication.

Tout à coup, bang ! Une fille m'accroche.

— Eille, regarde donc où tu vas, salope ! me lance-t-elle en m'envoyant valser brusquement contre le mur du corridor.

— Ben là, c'est toi qui m'as foncé dedans !

J'avais beau être dans mes pensées en marchant, j'ai bien vu qu'elle a dévié de son chemin pour me percuter. Je n'ai jamais adressé la parole à cette fille, je sais seulement qu'elle est avec moi dans trois cours. Elle s'appelle Graziella, je crois. D'après ce que j'en sais, elle est originaire du Chili, ou peut-être bien du Salvador. Je ne lui ai jamais rien fait...

— Qu'est-ce que tu me veux ?

Elle hausse les épaules et s'éloigne en marmonnant en espagnol. Je poursuis ma route vers ma classe lorsque j'aperçois un attroupement. Une douzaine de personnes se tiennent au milieu du corridor. Pour me rendre à mon cours, je dois passer par là. Parmi elles, je remarque la petite bande de filles qui chuchotent souvent sur mon passage depuis quelque temps. Je ne les aime pas, pas plus qu'elles ne m'apprécient, mais je ne vais sûrement pas faire un détour et arriver en retard à cause d'elles !

– Excusez-moi ! Désolée ! Je peux passer ? dis-je en essayant de contourner le groupe.

J'ai l'impression de faire face à un mur ; personne ne s'écarte. Une main me pousse tout à coup dans le dos et je vacille.

– C'est elle ! murmure une fille sur un ton malveillant.

L'ambiance est agressive. Quelqu'un va-t-il finir par me dire ce qui se passe ? Je les connais à peine ! Je hurle.

– QU'EST-CE QUE JE VOUS AI FAIT ?

Tous les yeux sont fixés sur moi, les visages sont fermés, les sourires, méchants.

D'un geste violent, quelqu'un derrière moi rabat la capuche de mon coton ouaté sur ma tête. On me pousse encore dans le dos et je me cogne contre un mur. Une fraction de seconde plus tard, je reçois un coup dans le bas-ventre qui me plie en deux et me fait perdre le souffle.

– Ne t'approche plus de LUI, t'as bien compris ? me crie une voix féminine que je ne peux identifier.

Qui *lui* ? De qui parle-t-on ?

Le cercle d'adolescents s'est resserré. Je tremble de tous mes membres, mais je refuse de les supplier de me ficher la paix. J'ai déjà lu que si je me comporte en victime, ça va renforcer le pouvoir que les intimidateurs pensent avoir sur moi. Pas question que je les laisse m'impressionner !

– Je... je ne... comprends pas ! balbutié-je en reprenant mon souffle. Quelqu'un pourrait au moins prendre la peine de m'expliquer !

– On est là pour t'aider à comprendre ! me murmure à l'oreille une fille sur ma gauche.

Soudain, j'entends une voix masculine que j'identifie instantanément : celle du directeur de niveau.

– Qu'est-ce qui se passe ici ?

À toute vitesse, le groupe se disperse, comme une bande de moineaux à l'approche d'un chat. Je reste seule, appuyée contre le mur, les jambes flageolantes. Le directeur se campe devant moi ; il paraît à la fois surpris et fâché.

– Rien sur la tête dans l'école ! me réprimande-t-il en montrant ma capuche du doigt.

D'une main tremblotante, je la fais glisser vers l'arrière. Il me dévisage un instant, cherchant sans doute dans sa mémoire où il m'a déjà vue. Il faut dire que depuis l'incident de l'automne, j'ai gardé profil bas justement pour qu'on m'oublie.

– Que s'est-il passé, mademoiselle ? s'enquiert le directeur.

– Rien de spécial, monsieur. C'était juste une petite discussion entre amies.

Wow ! Ma facilité à inventer me surprend moi-même.

Il fronce les sourcils, mais semble accepter mon explication. J'en profite pour filer avant qu'il n'ait l'idée de m'interroger davantage.

Au bout du corridor, je tourne à droite. En franchissant le coin, je me heurte à Xavi qui arrive dans l'autre sens.

– ¡ Holà, chica guapa ! ¿ Dónde vas así ?

· Comme je ne parle pas un mot d'espagnol, je ne comprends rien à ce qu'il vient de me demander et reste silencieuse. Il me fixe intensément de ses grands yeux sombres.

– Où cours-tu si vite ? Qu'est-ce qui se passe ?

Xavi est magnifique avec ses cheveux couleur charbon, légèrement bouclés, ses longs cils bordant ses superbes yeux noirs en amande, son teint basané, son corps élancé et musclé de joueur de soccer et son accent mexicain. Laurianne sort avec Javier, le plus beau Latino de l'école à son avis, mais selon moi, Xavi est cent fois plus mignon. Mais chut ! C'est un secret !

Je lui décoche un sourire en lui disant que je suis en retard pour mon cours. Il se déplace légèrement vers sa droite pour me laisser passer, mais évidemment je me pousse vers ma gauche. Après une petite valse l'un en face de l'autre, je parviens à me faufiler entre lui et le mur.

– ¡ *A mañana* !

Cette fois, j'ai compris. Il me dit à demain, car on doit tous se retrouver au studio de son oncle pour une répétition de son *band*.

J'ai déjà hâte... Xavi est encore plus beau quand il chante et s'accompagne à la guitare. Je ne peux m'empêcher de soupirer en l'imaginant me composer une chanson romantique. Tiens, il a même réussi à me faire oublier la bande de filles détestables de tantôt...

- 15 -

SALE INFECTION

Laurianne et Salomé discutent entre elles, mais moi, je mange en silence. Depuis quelques minutes, je dresse l'oreille car, à la table derrière la nôtre, des filles échangent des propos qui semblent me viser directement. On dirait qu'elles se moquent de... mon lunch ?!

– Pffff, du céleri, une salade de carottes, du pain brun, un yogourt et une pomme... Elle doit être au régime, la grosse !

J'ai reconnu la voix. C'est Graziella. Elle parle assez fort et clairement pour que j'entende. Elle doit souhaiter que je me retourne, mais je ne le ferai pas. Qu'est-ce qu'elle cherche ? La bagarre ? J'ai eu ma leçon à l'automne. Je ne tiens pas à me donner en spectacle une nouvelle fois. Et pourquoi me provoquer maintenant ? Depuis Pâques, elle et sa bande me dévisagent comme si j'étais le diable.

– En tout cas, le linge qu'elle porte est vraiment trop laid ! poursuit une autre fille de la bande. Des pantalons de jogging affreux et trop larges... Ça doit être pour cacher ses bourrelets !

– Ouais ! Au lieu d'aller voir les gars jouer au soccer, elle devrait faire du sport elle-même... ça lui ferait perdre quelques kilos ! ricane une troisième voix féminine.

Je l'ai déjà dit, je n'ai pas la taille d'un mannequin, mais mon poids est normal ! Qu'est-ce qu'elles ont à se focaliser là-dessus ? Si elles veulent jouer la carte de l'intimidation, elles ont choisi la mauvaise personne, parce que je suis capable de m'infliger beaucoup plus de mal seule que tout ce qu'elles pourraient me faire... Je n'ose pas penser à ce qu'elles diraient si elles connaissaient mon secret. En seraient-elles horrifiées ou me montreraient-elles plus de respect ?

Dans le forum sur l'automutilation, une des membres a remarqué un changement depuis que quelques ados de son école sont au courant qu'elle se coupe. Elle dit qu'on la méprise beaucoup moins et que certaines élèves lui ont même avoué qu'elles n'auraient jamais eu le courage d'aller aussi loin. Cette fille dit que son geste la valorise aux yeux des autres. Moi, je n'ai pas l'intention de m'en vanter, au contraire. Déjà, le fait que Salomé le sache me met hyper mal à l'aise.

– Avez-vous vu comment elle longe les murs en marchant dans les corridors ? continue Graziella.

– Et elle ne regarde jamais personne franchement dans les yeux, poursuit la deuxième fille. Elle fixe toujours le sol. Une vraie zombie !

– Elle a quelque chose à cacher, c'est sûr ! ajoute la troisième.

Je décide de les ignorer, de me concentrer sur mon lunch et sur la conversation de mes amies.

Après une dizaine de minutes cependant, j'en ai assez de leur bourdonnement dans mon dos. Ça commence sérieusement à me taper sur les nerfs. Alors que je m'apprête à me retourner pour leur dire de la fermer, Javier et les XYZ se joignent à nous.

Javier se penche et embrasse Laurianne.

Je m'écarte pour le laisser s'asseoir à côté de sa blonde. Zaccary et Yoann s'assoient devant nous, du même côté que Salomé. Seul Xavi reste debout. Du regard, il cherche une chaise libre pour l'approcher du bout de notre table, car il n'y a que trois places de chaque côté.

– ¡ *Holà, Xavi !* l'interpelle Graziella. ¡ *Hay un sitio a nuestra mesa !*

Je suis convaincue qu'elle parle sa langue maternelle pour que je ne la comprenne pas. Mais je ne suis pas idiote, j'imagine qu'elle lui dit qu'il y a de la place à sa table.

– Merci ! Je préfère rester avec mes amis, décline poliment Xavi.

Il s'empare alors d'une chaise de la table de Graziella et l'installe au bout de la nôtre. Moi, je ne lâche pas ma rivale des yeux et soudain, je comprends : elle en pince pour Xavi, mais lui ne semble pas s'en apercevoir. Ou alors, s'il s'en est aperçu, elle ne l'intéresse pas.

Je soupire et me détourne. Tant mieux ! Elle ne mérite pas un gars comme lui...

* *
*

Ce matin, j'ai du mal à me lever lorsque mon lecteur mp3, que j'utilise comme réveille-matin, se met en marche. J'ai de terribles élancements dans le mollet droit. Je rabats ma couette et pose délicatement mes pieds sur le sol, mais cette simple pression m'arrache aussitôt un cri de douleur. Je me contorsionne pour examiner mon mollet. Ouf ! C'est laid à voir... La cicatrice de ma dernière coupure est anormalement rouge et boursouflée. Je la tâte du bout des doigts, c'est chaud et très douloureux. Misère ! Ça semble s'être infecté ! Je plie ma jambe et la tire vers moi pour mieux voir... Ouach ! Un genre de pus jaunâtre s'écoule de la blessure. En clopinant, je me dirige vers ma commode, sur laquelle j'ai posé mon sac à dos. Zut ! Ma trousse de premiers soins est restée à l'école... Je n'ai pas mes tampons désinfectants. Je clopine jusqu'à la salle de bains en prenant garde de ne pas me faire voir et ouvre le tiroir à pharmacie. Il n'y a que de l'alcool à friction. Ce n'est pas l'idéal, mais c'est mieux que rien. Après en avoir badigeonné ma plaie, j'applique un onguent antibiotique en couche épaisse et je dépose un morceau de gaze stérile par-dessus, que je maintiens en place avec un large bandage autoadhésif.

Aujourd'hui, c'est vendredi. Selon notre convention, Laurianne et Javier marcheront jusqu'à l'école ensemble, de leur côté. Je serai donc seule pour m'y rendre. Tant mieux, ça évitera les questions si jamais je boitille en chemin...

* *
*

En arrivant à l'école, je me hâte de déposer mes affaires dans mon casier, puis je me dirige vers la bibliothèque. Je suis arrivée assez en avance pour être sûre de ne croiser aucun de mes amis.

Une quinzaine de minutes plus tard, la sonnerie de la cloche annonce le début des cours.

Je rassemble mes effets scolaires et clopine jusqu'à la sortie de la biblio où... je tombe sur Salomé !

– Ah, je me doutais bien que tu étais là ! s'exclame-t-elle. Est-ce que tu veux passer la journée avec moi demain ? On pourrait aller voir les gars s'entraîner, aller manger au resto, puis magasiner et finir la journée au cinéma.

Elle m'entraîne dans le corridor, mais j'ai beaucoup de difficulté à la suivre. Mon mollet me fait horriblement souffrir et je retiens mes gémissements avec peine.

– Hé, qu'est-ce qu'il y a ? s'inquiète-t-elle en me voyant grimacer de douleur.

– Rien ! fais-je en m'appuyant contre un mur.

Je me tiens sur ma jambe valide de façon à soulager la pression sur l'autre.

Les yeux gris de ma sœur se font perçants. Pour elle, « rien » n'est pas une réponse. Elle commence à bien me connaître.

– Viens avec moi !

Passant un bras sous mon aisselle, elle me traîne vers les toilettes, tandis que les corridors se vident et que les autres étudiants entrent en classe.

– On va être en retard !

Je plaide en vain. Quand Salomé a quelque chose dans la tête, elle ne l'a pas ailleurs.

Une fois dans les toilettes, elle se plante devant moi, les mains sur les hanches.

– Remonte ton pantalon de jogging, je veux voir ta jambe !

Je sais très bien que si je refuse de le faire, elle le remontera elle-même. J'obéis donc en soupirant.

Lorsqu'elle aperçoit mon pansement, elle fronce les sourcils et s'accroupit pour examiner ma plaie.

– Oh non ! Angélique ! s'exclame-t-elle. C'est salement infecté ! Viens, je t'emmène à l'infirmerie.

– Y a pas d'infirmière le vendredi..., rétorqué-je, les lèvres pincées par la douleur, mais surtout par la honte.

– Eh bien, je t'emmène à la clinique sans rendez-vous, alors !

– D'accord... mais je veux que tu me fasses une promesse, sinon je n'y vais pas.

– T'es pas en position de marchander, tu sais ! répond-elle, fâchée. Tu pourrais mourir d'une septi-cémie !

Je garde le silence et j'affiche un air buté.

– Bon, d'accord, soupire-t-elle. Qu'est-ce que tu veux ?

– Promets-moi de ne rien dire à Théo. Pas un mot sur quoi que ce soit. Sinon, il va en parler à ma mère et à ma grand-mère et ça va être l'enfer.

Nos regards s'affrontent. Ni l'une ni l'autre ne veut flancher.

– OK ! lâche-t-elle enfin. Je te le promets. Allez, vite !

16

LES YEUX GRIS

À la clinique, pas moyen de voir un médecin sans prendre un numéro, malgré l'insistance de Salomé. Il y a déjà beaucoup de monde qui attend. La plupart des gens sont là depuis l'aube. Ma sœur dit à la réceptionniste que c'est important, que ma plaie est infectée, alors cette dernière nous conseille de nous rendre à l'hôpital le plus près.

– On ne va quand même pas aller à l'urgence pour si peu ! dis-je en espérant qu'elle se rendra à mes arguments. Raccompagne-moi à la maison. Je vais désinfecter la coupure une autre fois et ça va s'arranger.

– As-tu bien regardé ta plaie ? fulmine Salomé. Tu risques une infection très grave ! La gangrène, le tétanos, t'as jamais entendu parler de ça ?

Mon air lui fait clairement savoir que je trouve qu'elle dramatise.

– Ça va trop loin, là, Angélique ! Tu mets ta vie en jeu ! Faut que tu arrêtes...

Je sais ce qu'elle veut dire, mais je fais la moue de celle qui ne comprend pas de quoi il est question.

— Tu as combien d'argent sur toi ? me demande-t-elle.

— Euh... Environ dix dollars. Pourquoi ?

— OK. J'en ai vingt. On en aura assez pour faire l'aller-retour en taxi jusqu'à l'hôpital, décrète-t-elle.

Tout le long du trajet, nous restons silencieuses, plongées dans nos pensées. Je la sens inquiète. Moi, je suis furieuse. Le médecin qui va examiner ma plaie va se rendre compte que mes jambes sont couvertes de cicatrices ! Certaines sont superficielles et pourraient passer pour des griffures de chat, mais celles qui sont plus profondes... Je sens la panique monter en moi. J'inspire et expire profondément pour essayer de la contrôler. Je suis prise de vertiges et de nausées.

— Salomé... je me sens vraiment mal, dis-je tout bas.

J'ai chaud et de la sueur perle sur mon front.

— On arrive bientôt, me répond ma sœur en me pressant la main pour me réconforter.

— J'ai mal au cœur. Faut qu'on débarque... Je vais vomir, je crois !

— Eille ! Pas dans mon taxi ! s'énerve le chauffeur qui freine brusquement pour se ranger sur le côté. Descendez !

L'ÂME À VIF

J'ai juste le temps d'ouvrir ma portière et de me pencher avant de vomir mes tripes.

Salomé paie le chauffeur qui refuse de nous emmener à destination. Le taxi repart, nous laissant à quinze minutes à pied, au moins, de l'hôpital. Mon mollet est dans un tel état que je ne pourrai jamais marcher jusque-là. Et comme si ça ne suffisait pas, voilà qu'il commence à pleuvoir, une pluie de printemps froide et cinglante.

Soudain, je vois ma sœur extirper son téléphone cellulaire de son sac à dos.

– Qui t'appelles ?

Elle ne répond pas, ce qui m'affole. J'essaie de lui prendre son appareil des mains, mais elle s'éloigne d'un mouvement vif. Je la vois signaler un numéro.

– Si c'est Théo, je ne te parle plus jamais de ma vie ! la menacé-je.

– Allô ! C'est moi..., annonce-t-elle dans l'appareil. Faut que tu viennes tout de suite, coin Bannantyne et de l'Église.

– ...

– Non ! Trop long.

– ...

– On n'aura plus assez d'argent pour rentrer en taxi.

Elle ne dit plus rien, se contentant de hocher la tête pendant quelques secondes.

– ...

– OK, d'accord.

Elle raccroche et range son téléphone.

– C'était qui ?

Elle ne répond pas et hèle un autre taxi qui circule sur l'avenue de l'Église. La voiture s'immobilise devant nous et, sans m'adresser la parole, Salomé m'y pousse, avant de donner notre destination au chauffeur.

– Hôpital de Verdun ! À l'urgence. Vite !

Nous y sommes en moins de cinq minutes. Après un détour par l'admission et le triage, nous voici dans la salle d'attente. Pour combien de temps ? Sûrement plusieurs heures. Une infirmière a rapidement évalué mon cas. Moins urgent que bien d'autres, selon elle. Je suis d'accord là-dessus ! L'envie me démange de me lever et de m'en aller, mais je n'ose pas. Je suis sûre que Salomé péterait sa coche devant tout le monde. D'ailleurs, je n'ai pas assez d'argent pour prendre seule un taxi, et retourner chez moi en autobus ne m'enchante pas.

Je me demande vraiment qui elle a appelé... Elle refuse de me le dire. Ça m'intrigue et ça m'énerve. L'angoisse s'empare de moi de nouveau.

L'ÂME À VIF

J'ai l'impression de suffoquer. Inspire, expire. Doucement, profondément. J'entends les chuchotements des autres patients autour de moi et les pleurs de deux enfants. Quand l'un semble se calmer, les cris de l'autre se font plus forts. Je fais semblant de somnoler.

Salomé a le nez plongé dans un roman qu'elle a sorti de son sac, mais je vois bien qu'il est ouvert à la même page depuis vingt minutes.

*   *
*

Je me réveille en sursaut lorsqu'on me secoue l'épaule. Il me faut quelques secondes pour comprendre où je suis. Je me suis endormie sur ma chaise. Ma jambe me fait un mal de chien.

– C'est à ton tour ! me dit Salomé. Salle deux.

Je me lève, raide comme un poteau.

– J'ai dormi longtemps ?

– Une heure. Allez, grouille ! me presse ma sœur en me soutenant jusqu'à la salle où m'attend un médecin.

– Wow ! Une heure et demie d'attente à l'urgence ? Sûrement un record Guinness !

Ma tentative d'humour ne fonctionne pas. Salomé me fait les gros yeux.

169

– Tu viens avec moi ? demandé-je.

– Non, je vais être dans la salle d'attente. Bonne chance !

Elle ouvre la porte de la salle et me pousse à l'intérieur. Je suis terrorisée. Que vais-je dire pour expliquer mes coupures ? Comment me sortir de là ?

Tiens ! Le docteur est une femme. J'aime mieux ça. Elle m'indique un lit d'auscultation sur lequel elle m'invite à m'asseoir. La douleur à mon mollet gauche est si vive que je suis incapable de m'y hisser. La docteure me soutient et m'aide à m'installer.

Il ne lui faut pas grand temps pour comprendre ce que j'ai lorsqu'elle me fait ôter mon pantalon de jogging. Elle grimace en voyant ma plaie. L'infirmière du triage a nettoyé la coupure à mon arrivée, mais ma jambe est maculée de pus séché.

– C'est si grave que ça ? dis-je, inquiète.

Elle examine ma blessure longuement.

– As-tu des difficultés à avaler ou mal à la nuque ? me demande-t-elle.

Je secoue la tête pour dire non.

– Es-tu à jour dans ta vaccination antitétanique ?

Je réfléchis quelques secondes.

— Oui... Je pense. J'ai reçu un rappel quand j'avais six ans, je crois.

— Ça ira pour cette fois, me rassure-t-elle. Non, attends, ne remets pas ton pantalon tout de suite.

Elle prend place derrière un bureau et griffonne quelque chose dans un dossier.

— Est-ce que tu te mutiles depuis longtemps ? me demande-t-elle sans détour.

Je baisse la tête, silencieuse.

— Je peux te diriger vers un service de psycho-thérapie pour adolescents, si tu veux.

— ...

— C'est à toi de décider. Je n'irai pas aux rencontres à ta place. Si tu veux que ça cesse, tu as besoin d'aide, ajoute-t-elle sur un ton compatissant. Tu n'y arriveras pas seule.

— D'accord..., soufflé-je tout bas.

— Pardon ?

— J'ai dit D'ACCORD.

Elle se lève.

— Je reviens dans une minute.

Ai-je vraiment accepté sa proposition ? Ça me semble irréel. Un psy... Je doute qu'il puisse m'aider.

Elle sort de la salle d'examen, puis revient peu de temps après avec un plateau sur lequel repose une seringue.

— Tu sais que tu as beaucoup de chance ? Ce type d'infection peut avoir des conséquences très graves, menant même parfois à la mort. Comme tu n'es pas certaine d'avoir eu ton rappel de vaccin, je vais t'en administrer une dose.

Je déteste les piqûres, mais je n'ai pas le choix. Une fois que c'est fait, elle me tend une ordonnance.

— Tu vas devoir prendre des antibiotiques.

Puis elle me remet un autre document qu'elle avait dans sa poche.

— Ce sont les coordonnées du centre de psychothérapie dont je t'ai parlé. L'une des thérapeutes est une amie. Demande un rendez-vous avec D^{re} Christine Marchand.

Après m'avoir fait un pansement adapté à ma blessure, la docteure me dit que tout est beau, mais que je dois quand même surveiller l'évolution de la plaie et revenir à l'urgence sans perdre un instant au moindre symptôme qui pourrait indiquer que j'ai le tétanos. Elle pense que ma coupure devrait être guérie d'ici deux semaines, tout au plus.

L'ÂME À VIF

Tant mieux ! Finalement, la rencontre avec ce médecin a été moins terrifiante que je le craignais. Elle ne préviendra pas ma mère, parce que j'ai plus de quatorze ans. Ouf ! Quel soulagement !

Je me rhabille, puis je la remercie en sortant. Je me hâte de retrouver Salomé dans la salle d'attente. Elle est en train de discuter avec un patient assis à côté d'elle lorsque je m'approche en clopinant.

– Plus de peur que de mal ! lâché-je, le sourire aux lèvres.

L'homme à côté d'elle se lève et me dévisage avec insistance. Qu'est-ce qu'il a, celui-là ? Mes yeux gris rencontrent les siens... gris aussi !

Un petit cri m'échappe.

Comment Salomé a-t-elle pu me faire ça ?

17

CUL-DE-SAC

La pluie tombe très fort maintenant, et chaque goutte se mélange à mes larmes. Des larmes de rage. Ma douleur intérieure est tellement intense que je ne sens presque plus les élancements de mon mollet. La pluie est en train de me tremper jusqu'aux os, mais je m'en moque. Une seule chose occupe mon esprit : la trahison de Salomé. Je n'en reviens toujours pas. Elle a appelé Paul ! Après tout ce que j'ai partagé avec elle durant ces derniers mois, c'est comme si elle me plantait un couteau dans le dos. Je ne le lui pardonnerai jamais. J'aurais dû me méfier...

Pourquoi l'ai-je laissée entrer dans ma vie, aussi ? J'étais tranquille dans ma solitude. Ma raison me le disait : « Ne fais confiance à personne ! »

Mais non, espèce de dinde, il a fallu que tu te confies à cette fille, à cette inconnue. Bien fait pour toi !

Je tourne dans une rue quand j'aperçois du coin de l'œil une automobile en train de ralentir à ma hauteur.

– Angélique, ne sois pas stupide ! crie la traîtresse par la fenêtre.

Malgré la douleur, je presse le pas. Mon regard balaie les alentours ; si je m'engage dans une rue à sens unique, ils ne pourront pas me suivre. Je croise les doigts pour que ce soit le cas de la prochaine...

La pluie redouble d'ardeur. Je rentre la tête dans les épaules, le vent me fouette le visage, mais je ne le sens pas vraiment. Je décide de me réfugier dans une ruelle en cul-de-sac, le temps de me reposer quelques instants, car mon mollet ne supporte plus cette cadence.

Comment vais-je rentrer chez moi ? Je jette un œil à ma montre. Bientôt midi. C'est dans un moment pareil qu'un cellulaire m'aurait sauvé la vie ! Grrr !

– Angélique ! lance une voix toute proche.

Je tourne la tête.

Non, c'est pas vrai !

Salomé est plantée à l'entrée de la ruelle, à l'abri d'un parapluie. Me voilà dans un cul-de-sac, sans possibilité de fuite. Bravo, la grande ! Tu viens de te peinturer dans un coin en entrant dans cette impasse !

Salomé s'approche et, d'un geste de la main, m'invite à la rejoindre sous son parapluie. Et puis quoi encore ? Ma fureur est si intense que je ne peux m'empêcher de la lui lancer au visage.

L'ÂME À VIF

– T'AVAIS PROMIS ! Tu n'avais pas le droit de l'appeler !

– Désolée, Angélique ! J'avais promis de ne rien dire à Théo... Mais la situation est trop grave. On ne peut pas gérer ça toutes seules. Fallait que je prévienne notre père.

– TON père ! Il n'a jamais été le mien. Je ne vois pas ce qu'il pourrait faire pour moi tout à coup, quatorze ans trop tard. Il m'a rejetée, alors, qu'il ne s'attende pas à ce que je lui saute au cou pour l'embrasser comme si de rien n'était ! Dégage !

D'un mouvement vif, je tente de l'écarter, mais elle me saisit le bras.

– T'as fini ? Ça va mieux ? Ça te soulage de me crier dessus ? Alors écoute-moi bien maintenant. Tu vas monter dans la voiture et tu vas laisser Paul te ramener chez toi. Tu n'as même pas besoin de lui adresser la parole, OK ?

Je n'ai jamais perçu autant de fermeté dans la voix de Salomé. Son ton me paralyse. En temps normal, je l'enverrais se faire voir ailleurs, mais mon mollet choisit cet instant pour me rappeler que j'ai vraiment mal, que la maison est loin et que je ne pourrai pas m'y rendre par mes propres moyens. Bref, le plus raisonnable est de la suivre. Je serre les poings en me disant que, en ce moment, j'aurais bien besoin de sentir une lame trancher ma peau pour apaiser mes émotions.

– Tu viens ? m'encourage Salomé. Tu es trempée et moi aussi. Je te jure que je n'ai pas trahi ton secret. Paul sait seulement que tu étais à l'urgence pour une blessure à la jambe.

– Qu'est-ce que tu lui as dit, exactement ? Je ne te suivrai pas tant que tu ne m'auras pas tout raconté.

– Quand on a dû descendre du taxi, c'est lui que j'ai appelé. Je lui ai dit que je t'accompagnais à l'urgence, que tu avais de la difficulté à marcher et qu'on n'avait plus assez d'argent pour rentrer. Il a offert de nous rejoindre à l'hôpital et de nous ramener.

– C'est tout ?

– Oui. Juré, craché ! Je n'ai même pas parlé de l'infection. Paul pense que tu t'es foulé la cheville ou quelque chose du genre.

Je la dévisage pendant quelques secondes, cherchant à deviner si elle ment.

– Bon, OK..., soupiré-je en m'approchant d'elle.

Salomé passe son bras sous le mien et me soutient jusqu'à la berline bleue dont le moteur tourne. Elle m'ouvre la portière arrière et j'embarque sans dire un mot. Le trajet jusque chez moi ne doit pas durer plus de dix minutes.

De temps à autre, mon regard croise celui de mon père dans le rétroviseur, mais je ne desserre pas les dents. Je n'ai rien à lui dire. Malgré moi, je l'examine.

L'ÂME À VIF

Il est plutôt bel homme. Vêtu sobrement, en costume gris foncé et chemise blanche. Sa cravate est légèrement dénouée. Selon ce que ma mère m'a dit, il était représentant pour une compagnie d'outils avant ma naissance. Il doit l'être encore, il est habillé comme un vendeur.

Faudra que je demande à Salomé. Ah ! mais qu'est-ce que je dis là ! Je m'en fiche, de toute façon !

Il me sourit timidement à plusieurs reprises, mais chaque fois je détourne la tête. Je ne veux pas lui laisser croire qu'on pourrait établir une quelconque relation. Je ne veux pas de lui dans ma vie.

Enfin, Paul se gare devant le triplex où je vis. Un instant, j'ai la pensée de lui demander comment il connaît mon adresse, mais je me force au silence. Je me suis promis de ne pas lui adresser la parole. Je me contente d'un « merci » en quittant l'automobile.

— Je viens avec toi, dit Salomé en se glissant à l'extérieur de la berline.

— Non, s'il te plaît ! J'ai besoin d'être seule.

— T'es sûre ? Tu ne vas pas te...

Elle s'interrompt brusquement quand elle voit le regard noir que je lui décoche.

— On se voit demain, alors ? fait-elle en se rasseyant.

— Euh... oui, on verra. Je t'appellerai...

Tant bien que mal, je monte les quatre marches de notre perron, déverrouille la porte et la referme aussitôt, sans jeter un coup d'œil derrière moi. Ma jambe me fait souffrir le martyre.

Après avoir retiré mes vêtements trempés, je file à la salle de bains avec l'intention de prendre une longue douche bouillante. Zut ! C'est vrai ! Je ne peux pas mouiller le bandage qu'on m'a mis à l'hôpital.

En plus des antibiotiques que je dois aller chercher à la pharmacie, je dois aussi penser à acheter des pansements mieux adaptés à la taille de ma blessure. En attendant, je vais me débrouiller avec ce que j'ai sous la main. Je me rends à la cuisine, où je trouve un sac-poubelle blanc et du *duct-tape* pour envelopper mon mollet et le protéger de l'eau.

Sous la douche, l'eau qui fouette ma peau me rappelle ma fuite dans la ruelle. Le visage de mon père s'impose à moi. C'est lui, la cause de tous mes malheurs ! J'éclate en sanglots. Hoquetant, cherchant mon souffle. Je m'accroupis en position fœtale. La douleur en moi est si forte... Cette rencontre a fait ressurgir toute la peine cumulée et enfouie depuis tant d'années. Un trop-plein qui fait horriblement mal.

18

MA VIE EN PETITS MORCEAUX

Après ma douche, je me réfugie dans ma chambre comme un automate. J'ai le cerveau complètement embrouillé... Pour me changer un peu les idées, j'ouvre mon *laptop*. Tiens, un message de Xavi sur Facebook.

« ¡ *Holà !* Je t'ai vue partir très vite de l'école avec Salomé. *¿Cómo vas ? Besitos.* »

Je relis le message deux fois. *Besitos*, ça veut dire bisous, il me semble... Qu'est-ce qui lui prend ?

Je réponds brièvement.

« Ça va. À lundi ! »

Je me hâte de fermer Facebook et d'ouvrir le forum Chere_a_vif.fr. Je crois y avoir vu passer des trucs pour cesser de se couper. Je n'y avais pas trop prêté attention à ce moment-là, mais maintenant, je pense que je devrais les lire. Salomé a raison. Je ne peux pas continuer comme ça. Ma visite à l'urgence est une alerte que je dois prendre au sérieux. Je peux encore réagir et combattre mes envies de me mutiler, contrairement à d'autres personnes du forum dont l'histoire a de quoi faire frissonner. Faut que je me ressaisisse.

Ah, voilà ! C'est sous la rubrique « Autres solutions ».

1. *Prendre une photo de toi de plain-pied, l'imprimer et marquer au feutre rouge les endroits où tu veux te couper, au lieu de le faire pour vrai.*

2. *Créer une poupée en tissu (avec une chaussette, par exemple) qui va représenter tes frustrations. Lance-la, coupe-la, piétine-la. Passe ta rage sur elle et non sur ton corps.*

3. *Mettre du Tiger Balm rouge sur ta peau. Attention, ça chauffe ! Mais au moins, ce ne sera pas une coupure qui laisse une cicatrice permanente.*

Ouais !... Certaines suggestions m'aideront sûrement à passer ma rage sur autre chose que sur moi (sauf pour le baume), mais c'est pas du tout ce que je cherche.

4. *Accomplir des tâches qui demandent de la concentration. Par exemple, jouer sur Internet à des jeux de logique et de réflexion.*

5. *Écrire chaque jour tes sentiments dans un journal, sans chercher à mettre de l'ordre dans tes pensées, un peu comme de l'écriture automatique. Note tout ce qui te vient à l'esprit, sans censure.*

L'ÂME À VIF

Ça, je peux le faire !

J'ouvre un document Word et je me mets à écrire.

« Tombe ma vie en tout petits morceaux
Tombe la pluie sur les carreaux
Je me débats comme une noyée
Je suis seule et j'ai peur
Si peur seule dans la vie
Si triste au fond de mon cœur
Pas un ami pour me parler
Pas un ami pour me consoler. »

Ce n'est pas avec ça que je vais gagner le prix Nobel de littérature, mais c'est un début.

Un instant, je suis tentée d'effacer mon poème, mais je décide de le garder en croisant les doigts pour que personne ne le lise jamais. Ce serait trop la honte !

Une autre des suggestions est de me concentrer sur quelque chose qui me plaît. Que pourrais-je faire ? Un gargouillis dans mon ventre me tire de ma réflexion. J'ai faim. Je pense à mon lunch resté dans mon casier à l'école. Issshhh ! Ça risque de puer quand je vais ouvrir ma case lundi ! Une idée loufoque me traverse l'esprit. Glisser cette bouffe moisie dans les chaussures de sport de Graziella pour me venger. Bon, je ne le ferai pas pour vrai, mais cette pensée m'accroche un sourire sur le visage.

Je vais à la cuisine pour me préparer un autre sandwich, quand tout à coup me vient une nouvelle idée. Puisque j'aime cuisiner, que je suis à la maison un vendredi après-midi et que Grand-Maman doit venir souper avec nous, je pourrais préparer un super repas !

Aussitôt dit, aussitôt fait ! J'inspecte le contenu du réfrigérateur, puis m'empare d'un livre de recettes appartenant à ma mère. Tortillas au thon, poivron et céleri. Facile à faire ! Et une fois coupées en petites bouchées, ça fera une entrée intéressante. Ensuite, sole à la dijonnaise avec une julienne de carottes, et pour dessert, yogourt croquant aux petits fruits.

Je passe l'après-midi à popoter et je ne vois pas le temps passer. Il ne restera qu'à faire cuire le poisson au moment de se mettre à table. C'est au moment où je fais la vaisselle que j'entends la porte s'ouvrir. C'est Théo.

– Tu es déjà là ? m'interroge-t-il en secouant son parapluie.

Un bon point pour Salomé : elle n'a rien dit à mon frère. Il ne sait donc pas que j'ai passé la matinée à l'urgence et que je suis à la maison depuis midi.

– Qu'est-ce que tu fais ? me lance-t-il, cette fois plus inquisiteur.

– Tu vois bien ! La vaisselle...

Il me regarde avec un drôle d'air. Autant lui dire une partie de la vérité, sinon mon frère va me harceler.

– Je suis revenue plus tôt de l'école. Je ne me sentais pas bien. Finalement, ça s'est amélioré, alors j'ai décidé de préparer un bon souper pour Grand-Maman. Ça te va, monsieur le policier ?

– OK. OK. Pour le souper, je pensais justement inviter Mégane. Grand-Maman m'a dit qu'elle aimerait faire sa connaissance. Ça te dérange ?

– Non. Je crois qu'il y aura assez de filets de sole pour une personne de plus. Je vais juste faire une autre portion de dessert.

– Parfait. Moi, je vais ranger un peu ma chambre avant son arrivée, parce que...

– Ha, ha, ha ! Parce qu'elle va avoir peur, la pauvre !

Après avoir fini de préparer le repas, je me hâte de mettre de l'ordre dans le reste de la maison, sans quoi, comme toujours, notre grand-mère va nous reprocher de ne pas avoir fait le ménage. Et comme je l'ai lu dans Chere_a_vif.fr, se tenir occupé empêche de ruminer ses problèmes. Ça doit être vrai, parce que je me rends compte que je n'ai pas eu une seule pensée pour mon exacto de tout l'après-midi.

Il est à peine dix-sept heures lorsque la porte s'ouvre de nouveau, sur ma mère cette fois. Je ne m'attendais pas à la voir arriver si tôt et je reste figée, aspirateur à la main.

– Ah ! Quelle bonne idée, Angélique ! Merci beaucoup ! me lance-t-elle en retirant son manteau trempé et en déposant par terre deux sacs de provisions bien remplis. J'ai justement quitté le boulot plus tôt pour faire un peu de ménage avant que Serge n'arrive.

– Serge ?! m'exclamé-je, surprise.

– Il vient souper pour faire officiellement votre connaissance et celle de ta grand-mère. Je t'en ai parlé la semaine dernière, t'as oublié ?

Ma mère s'empare de ses sacs d'épicerie pour aller les déposer sur le comptoir.

– Ouf ! Il me reste à peine deux heures pour tout préparer. Tiens, mets ça dans le frigo ! me dit-elle en me tendant deux bouteilles de vin blanc.

– Maman, j'ai déjà préparé le souper ! annoncé-je, fière de moi. Tortillas au thon en entrée, sole à la dijonnaise et yogourt aux petits fruits. Par contre, il n'y aura pas assez de sole, car Mégane aussi vient souper. Je vais courir en acheter au supermarché.

J'ouvre la porte du réfrigérateur pour qu'elle admire mon œuvre.

– Mais... je ne t'avais rien demandé ! me rabroue ma mère en s'activant à émincer des oignons. Tu n'en fais toujours qu'à ta tête !

Je demeure bouche bée quelques secondes. Puis, je repousse la porte du frigo à la volée, des larmes me montent aux yeux et la boule d'angoisse ne tarde pas à se manifester dans ma poitrine.

— Mais qu'est-ce que j'ai fait de mal ?

— Tu ne portes jamais attention à ce que je te dis ! rétorque ma mère d'un ton sec. On a l'impression que tu n'habites pas dans cette maison. Je vous ai dit, à Théo et toi, que Serge venait souper ce soir, mais non... mademoiselle vit dans son monde, elle n'écoute rien ni personne. Allez, aide-moi ! On change de menu, Serge est allergique au poisson !

Ma mère me contourne pour ouvrir le réfrigérateur afin d'y prendre le beurre, des tomates cerises et un fromage fort.

À ce moment, je sens la terre s'ouvrir sous mes pieds.

— T'es toujours en train de crier après moi ! C'est jamais bien, ce que je fais ! J'en ai marre ! Marre ! MARRE !

Ma mère blêmit. Elle pose son couteau sur la planche à découper.

— Je suis désolée, Angélique... Ce n'est pas ce que je voulais dire. Je suis tellement anxieuse ! C'est un soir important à mes yeux, tu sais, et je veux que tout soit parfait. C'était une très bonne idée de faire le repas... Je t'en remercie. Sincèrement. Mais Serge ne peut pas manger de thon et encore moins de sole...

Je ne l'écoute plus. La douleur m'envahit. Je refoule un sanglot et, lentement, je sors de la cuisine, la mort dans l'âme.

Toi aussi, t'es dans ton monde, maman ! Tu ne te rends même pas compte du mal que ça me fait quand tu me brusques de cette façon.

*   *
*

Étendue sur mon lit, je vois la poignée de la porte de ma chambre tourner, mais j'ai pris soin de la verrouiller.

– Ange ! dit ma mère. Je suis vraiment désolée. C'est l'anxiété qui me fait dire des choses qui dépassent ma pensée.

Ses excuses viennent trop tard. Je laisse ma frustration et ma rage m'envahir en puissantes vagues.

Mon sac à dos est à l'endroit où je l'ai jeté en arrivant vers midi, c'est-à-dire sur mon lit. Tout près de moi. Trop près de moi. Ma main part à la recherche de ma lame, de mon réconfort.

*   *
*

Je décide de ne pas participer au souper de famille. Je hais ma mère. Je ne veux rien savoir d'elle ni de ses amours. Ah, si je pouvais aller vivre avec Grand-Maman ! Je ne comprends pas pourquoi ma mère m'oblige à habiter avec elle, alors qu'elle est convaincue que je suis juste un boulet dans sa vie, une bonne à rien qui n'est là que pour lui gâcher l'existence.

– Angélique ! s'annonce ma grand-mère en frappant à ma porte. Viens souper.

– J'ai pas faim !

Elle tourne la poignée. En vain.

– Tu es très impolie ! Serge est là pour faire ta connaissance.

– M'en fous ! Qu'on me laisse tranquille !

Je saisis mon oreiller à bras-le-corps et m'y enfouis la tête, en rabattant les extrémités sur mes oreilles pour ne plus entendre ma grand-mère qui me supplie d'ouvrir. Je sais que je lui fais de la peine. Mais moi, ma peine, qui s'en préoccupe ?

– Angélique ! C'est Théo ! Ouvre tout de suite !

Non, mais.... c'est pas vrai ! Ils vont tous défiler chacun leur tour !

Je saisis mes écouteurs et me les enfonce dans les oreilles, montant le son de ma musique à fond.

* *
*

Lorsque je me réveille, trois heures plus tard, je me rends compte que de la musique s'échappe encore de mes écouteurs qui ont quitté mes oreilles parce que j'ai bougé dans mon sommeil. Mon ventre émet des gargouillis... J'ai faim ! J'ouvre lentement ma porte. Pas de bruit dans le triplex. Où sont-ils donc passés ? Je me glisse dans la cuisine et j'emporte les tortillas au thon dans ma chambre.

19

UNE DEMANDE INATTENDUE

Au petit matin, alors que je me faufile dans la cuisine pour déjeuner en cachette avant que tout le monde soit levé, je me heurte à Théo qui sort de la salle de bains.

– Ça y est, t'as fini ta crise ? se moque-t-il.

– Vous êtes allés où, hier soir ? dis-je sans me préoccuper de ses propos.

– Serge avait des billets pour le premier match des Canadiens en séries ! T'as manqué une super belle partie. Mégane a hérité de ta place. T'as vraiment une tête de cochon quand tu t'y mets !

– Pfff ! J'aime pas le hockey de toute façon, alors ça ne me dérange pas.

Je me sers un lait au chocolat pendant que mes rôties sont en train de griller.

– Hé ! hé ! tu préfères le soccer ? me lance mon frère avec un clin d'œil.

– N'importe quoi !

Le soccer ! J'avais oublié. Aujourd'hui, les XYZ et Javier ont un match super important. J'ai promis à Laurianne de l'accompagner. Il est six heures trente. Mon amie m'avait dit qu'elle et son père passeraient me prendre à huit heures trente. Je n'ai plus trop envie d'y aller, surtout avec mon infection. Mais si je n'y vais pas, Laurianne va me poser cent mille questions auxquelles je n'ai pas envie de répondre.

– Vous êtes rentrés tard ? demandé-je à mon frère, la bouche pleine.

– Serge a ramené Grand-Maman tout de suite après la partie. Moi, je suis sorti avec Mégane. Je suis rentré vers trois heures.

– Et maman ?

– Elle a décidé de dormir chez Serge.

Ouf ! Tant mieux. J'ai pas envie de les voir.

– Bon ben, bonne journée, grand frère ! Je vais me préparer pour ne pas faire attendre le père de Laurianne.

Pendant que Théo retourne se coucher, je me glisse dans la salle de bains. Il est temps que je m'assure que l'infection est sous contrôle.

Heureusement qu'on habite pas loin d'une pharmacie. J'ai quinze minutes pour aller acheter des pansements et les antibiotiques qu'on m'a prescrits, si je veux revenir avant l'arrivée de mon amie.

À huit heures trente, ma *best* sonne à ma porte et je me hâte de la rejoindre. La partie de nos amis commence à neuf heures. Salomé doit nous retrouver au complexe sportif.

On a à peine le temps de s'installer dans les gradins que le match commence. Et quel match ! J'apprécie de plus de plus de regarder jouer les garçons. Les XYZ sont déchaînés. Javier, lui, fait ce qu'il peut, mais il est moins compétitif que ses copains. Lorsque Xavi marque un but, je bondis de joie, en oubliant mon mollet. Quand mon pied revient durement au sol, je suis forcée de m'asseoir, tordue de douleur.

– Ça va ? me chuchote Salomé, inquiète, en me voyant grimacer.

– Oui, oui. T'en fais pas.

Quarante-cinq minutes plus tard, la partie se termine. L'équipe de nos amis a gagné 2 à 1.

– Les garçons veulent que nous les attendions. Ils vont prendre une douche et nous rejoindre devant le complexe, nous dit Laurianne, qui n'a presque plus de voix tellement elle a crié fort pour encourager son *chum*.

On s'achète des chips et une boisson gazeuse et, une quinzaine de minutes plus tard, toute la bande est réunie. Xavi est le héros du jour, car c'est son but qui a signé la victoire de son équipe.

— Tu ne m'as pas répondu hier soir, me glisse-t-il à l'oreille en me prenant un peu à l'écart du groupe.

Je dois réfléchir un moment pour me remettre dans le contexte.

— Sur Facebook ? Oui, je t'ai assuré que tout allait bien.

— Tu n'as pas pris mon autre message ? insiste-t-il.

— Non... Tu disais quoi ?

— Euh... rien, rien !

— Tu m'écris pour ne rien dire ? T'es particulier, comme gars, quand même ! m'esclaffé-je.

Je le vois prendre une profonde inspiration, puis il me lance sans préambule :

— Veux-tu sortir avec moi, Angélique ?

— Sortir ?! Mais tu veux m'emmener où ?

— Non... sortir comme dans... être ma blonde.

J'ouvre des yeux si grands que j'ai l'impression qu'ils vont jaillir de leurs orbites.

L'ÂME À VIF

Laurianne, Javier et Salomé viennent nous rejoindre.

– Alors, tu lui as demandé ? s'enquiert ma sœur auprès de Xavi.

Ce dernier affiche son plus beau sourire. Ouf ! Je n'avais jamais remarqué qu'il avait les dents aussi blanches. Il est magnifique avec ses cheveux noirs encore humides. Un frisson délicieux court dans mon dos.

– Quoi ? Vous étiez au courant ? m'étonné-je.

– Franchement ! Il n'y a que toi qui n'avais pas remarqué que tu intéresses Xavi ! dit Javier en se mettant à rire.

– Même Graziella et sa bande l'ont deviné depuis des semaines..., ajoute Laurianne. Faut que tu sortes un peu de ta bulle, Angélique ! C'est pour ça qu'elle et ses amis ont tenté de t'intimider. Depuis le début de l'année, cette fille essaie de séduire Xavi, et c'est toi qu'il choisit.

Je crois que s'il y avait eu un tremblement de terre, je n'aurais pas été plus ébahie. Je suis tellement dans mon monde ! Ma douleur intérieure est si présente que je ne remarque plus ce qui m'entoure. Certaines situations m'échappent totalement, jusqu'à ce que je me retrouve le nez collé dessus. Comme maintenant !

– Alors, tu acceptes ? insiste Xavi, le visage tendu.

J'inspire profondément. Je n'ai vraiment pas envie de sortir avec un garçon. Je ne me sens pas assez bien pour entamer une relation. Ma première relation amoureuse, en fait...

Salomé me fixe longuement. Elle devine ce que je suis en train de penser. Elle m'adresse un léger signe de la tête qui semble dire : « Tu ne peux pas refuser ! » Tous mes amis sont suspendus à mes lèvres. Je me sens piégée. C'est évident que si je refuse, je vais entendre des « pourquoi ? » des « comment ça ? » des « es-tu folle, il est fou de toi ! ».

– ¡ Holà ! Bravo, Xavi. Tu gol era magnífico. Eres el mejor. Tu equipo va a ganar la copa[*].

Misère, voilà Graziella !

Sans réfléchir, j'enlace Xavi et colle ma bouche à la sienne. Le pauvre peut à peine respirer. Puis, me détachant lentement de lui, je déclare très fort :

– Bien sûr que je veux être ta blonde !

Le pauvre devient rouge comme une tomate. Quant à Graziella, elle me fusille du regard, avant de tourner les talons en murmurant :

– ¡ Mi querida, es la guerra[**] !

---

[*] « Hé ! Bravo, Xavi ! Ton but était magnifique. Tu es le meilleur. Ton équipe va remporter la coupe. »

[**] « Ma chérie, c'est la guerre ! »

— J'espère que tu sais ce que tu fais, me souffle Salomé. Il reste un mois avant la fin de l'année scolaire. Elle va te faire vivre l'enfer !

En réalité, je ne sais pas ce qui m'a pris. J'aime bien Xavi, mais pas au point de tenir tête à Graziella et à sa bande. Qu'est-ce que j'ai fait ? J'aimerais rembobiner le temps et retourner au moment où Xavi m'a demandé si je voulais sortir avec lui. Cette fois, je dirais non, sans hésiter. L'angoisse m'étreint de nouveau. Je remonte la fermeture éclair de mon blouson de printemps, en frissonnant de nervosité.

— Allez ! On s'en va tous chez moi ! décrète Laurianne. Mon père peut en embarquer deux de plus. Qui vient avec Javier et moi ?

— Xavi et Angélique ! réplique Salomé sans me laisser donner mon avis. On vous rejoint en autobus !

Elle fait un signe en direction de Graziella et de ses amis qui se tiennent non loin de nous. Je comprends qu'elle préfère que je m'éloigne avec un adulte plutôt que de rester devant le complexe et de risquer d'affronter encore cette furie.

* *
*

Ça fait maintenant deux semaines que je suis officiellement la blonde de Xavi. Pour le moment, ça se passe plutôt bien. Graziella me fiche la paix ! L'amour me réussit : je ne me suis pas coupée depuis quinze jours. J'essaie d'appliquer les conseils lus sur Internet et de trouver des façons alternatives pour maîtriser mes émotions.

Quand je me retrouve seule dans ma chambre, j'écoute de la musique joyeuse, surtout latine, ou je lis un roman qui me plaît, mais rien de triste. Mon repaire n'a jamais été aussi bien rangé. J'y ai fait le ménage de fond en comble. Je me concentre aussi beaucoup sur ma respiration, pour prendre conscience de mon corps.

Dans le forum, j'ai lu que plusieurs ont rechuté après deux semaines, six mois, deux ans... mais je ne veux pas penser à ça. J'essaie de me concentrer sur chaque journée. Une à la fois !

Depuis que je suis avec Xavi, j'ai l'impression d'être un peu plus *cool* à la maison. En tout cas, Théo a remarqué un changement. Il dit que je suis moins à pic. J'ai fini par lui avouer que j'avais un *chum*. Il a semblé vraiment très content pour moi. Mais je lui ai fait promettre de ne rien raconter à ma mère, ni à Grand-Maman. J'ai peur que ma mère pense que je suis trop jeune pour sortir avec un garçon. Quant à Grand-Maman, je suis certaine qu'elle serait heureuse pour moi, mais je crains qu'elle s'échappe devant ma mère.

La sonnerie de Skype retentit sur mon ordinateur. Ah, ça doit être Xavi ! Je me précipite pour répondre sans lire le nom qui s'affiche.

– Salut, Angélique !

L'ÂME À VIF

J'entends mes dents grincer. Le souffle me manque. La tête me tourne. L'écran me renvoie un visage auquel je ne m'attendais pas du tout.

– P... Paul ?!

20

RÉVÉLATIONS

– Je ne veux pas te déranger ! s'excuse aussitôt mon père. Je voulais m'assurer que tu allais mieux aujourd'hui... Tu semblais avoir beaucoup de difficulté à marcher en sortant de l'hôpital.

– Ça va, merci. Au revoir !

– Attends, ne raccroche pas ! Est-ce que... hum... je pourrais prendre de tes nouvelles de temps à autre ?

– Tu peux passer par Salomé, pour ça.

Pourquoi suis-je en train de lui répondre ? Je dois raccrocher tout de suite.

Malgré ce que me crie ma petite voix intérieure, je suis incapable de cliquer sur l'icône du téléphone rouge pour couper le contact.

– Oui, mais ce n'est pas pareil. C'est bien de se voir, de se parler... en personne.

— Quatorze ans plus tard ! Il était temps que tu te réveilles !

La colère monte en moi, mais ma curiosité est aussi très forte. Qu'est-ce qu'il me veut ?

— Les choses sont compliquées... Rien n'est jamais tout noir ou tout blanc.

— Bla, bla, bla..., soupiré-je.

— En vieillissant, tu vas finir par comprendre.

— Moi, ce que je comprends, c'est que tu as choisi ton autre famille. Je ne vois pas pourquoi, tout à coup, tu veux une place dans ma vie.

— Disons que j'ai préféré attendre que tu sois en âge de comprendre, parce que je ne voulais pas te bouleverser... Maintenant, je crois qu'on peut se parler en adultes. Tu sais, je me suis toujours tenu informé de ton frère et de toi, même si je n'étais pas près de vous...

— Ah oui, les fameuses photos... Et tu crois que ça suffit, de recevoir des photos une fois par an pour savoir ce que tes enfants sont devenus et ce qu'ils ressentent ?!

J'essaie d'empêcher ma voix de trembler afin de ne pas trahir mon émotion. Rester neutre. Faire comme si cette conversation ne me touchait pas.

– Je te demande pardon ! J'ai été maladroit... je ne savais pas comment m'y prendre. J'étais perdu quand ta mère m'a annoncé ta naissance.

– Comment un père peut-il abandonner ses enfants ?

– Je me disais que vous ne souffriez pas de mon absence, parce que vous ne me connaissiez pas. Vous ne pouviez ressentir un manque pour quelque chose que vous n'aviez jamais eu. Et puis, ta mère me répétait qu'elle pouvait subvenir à vos besoins seule, que tous les trois, vous n'aviez pas besoin de moi. J'ai compris que c'était faux il y a seulement deux ans. Et maintenant que Salomé est adolescente, je me rends compte combien je suis important pour elle... et combien j'aurais pu l'être pour Théo et toi.

– Wow ! Grande découverte... Pfff !

– Tu sais, ce n'est pas parce qu'on est adulte qu'on a toutes les réponses et qu'on ne fait pas de grosses bêtises. On apprend de ses erreurs à n'importe quel âge... À l'époque, quand ta mère m'a annoncé que tu existais... j'ai paniqué ! J'ai estimé que tu serais mieux si tu n'avais pas de mes nouvelles.

– ...

– Après notre séparation, à ta mère et moi, je croyais que si je me manifestais, même une fois ou deux par mois, tu serais toujours dans l'attente de mon prochain appel, de ma prochaine visite... et que si, pour une raison x, je ne pouvais pas t'appeler ou aller te voir, ce serait comme une série d'abandons à répétition. Je ne voulais pas te causer de déception et être une souffrance pour toi. Je croyais que ce serait moins dur si je coupais tous les ponts.

Je reste sans voix de longues secondes, perdue dans mes pensées. Il y a une chose que je ne saisis pas dans son discours. A-t-il appris que ma mère était enceinte de moi *après* l'avoir quittée ? Ce n'est pas ce qu'elle m'a toujours dit. Selon elle, il l'a abandonnée après ma naissance... Hum ! Nébuleux, tout ça... Pourquoi ma mère m'aurait-elle menti pendant toutes ces années ?

– Je vois bien que tu es bouleversée. Ce n'était pas mon intention... Je m'excuse ! Je vais te laisser digérer tout ça. Tu peux me joindre par Skype n'importe quand. Et n'oublie pas, comme je l'ai déjà dit à Salomé, ma porte t'est toujours ouverte. Au revoir, ma fille !

Je vois l'écran Skype s'obscurcir.

C'est trop d'émotions. Mes larmes coulent malgré moi. Je crains le pire... Je dois me changer les idées, m'occuper l'esprit, et vite ! Sur mon clavier, je tape l'adresse du forum : Chere_a_vif.fr.

Est-ce que quelqu'un a répondu au dernier message que j'y ai laissé, il y a plusieurs jours ?

Peaud'âme (Montréal, Canada, 14 ans)

J'ai décidé d'arrêter. Je manque de respect à mon corps. C'est trop stupide de m'en prendre à moi-même alors que je ne suis pour rien dans les malheurs que je traîne comme un boulet. Je sais que mon mal de vivre est causé par les actions de mes parents ou d'autres élèves de l'école. Je me suis sentie responsable de l'accident de mon frère, mais ce n'est pas ça, le vrai problème. Je vais avoir quinze ans dans une semaine. Ce sera mon cadeau d'anniversaire d'arrêter... pour mon corps et mon âme.

4Life (Liège, Belgique, 17 ans)

Je suis content de voir que tu as décidé de faire face à tes problèmes sans t'en prendre à toi-même. C'est la bonne attitude. D'après ce que j'ai lu, ça ne fait pas très longtemps que tu te mutiles, tu as pris la bonne décision avant de trop t'enfoncer. Courage ! Si tu as besoin de soutien, tu peux me joindre en MP, sur Facebook ou par Skype. N'hésite pas !

Depress (La Pocatière, Canada, 29 ans)

Les mutilations servent surtout à alerter les autres. Un peu comme un cri de détresse. Je n'ai pas suivi toute ton histoire, mais peut-être as-tu enfin trouvé une oreille attentive dans ton entourage ? Accroche-toi aux conseils de cette personne. Et, surtout, si jamais il t'arrive de rechuter, ne va pas croire que tu n'es bonne à rien. J'ai vécu quatre rechutes avant de cesser complètement. Je ne me mutile plus du tout depuis cinq ans. Lorsque les émotions sont trop difficiles, j'ai trouvé des façons de les évacuer. Je fais de la peinture. L'art a été une thérapie formidable pour moi. Bon courage !

Peaud'âme (Montréal, Canada, 14 ans)

Merci de vos encouragements ! Aujourd'hui, je ne me sens pas bien du tout. Mon père... enfin, celui qui est censé l'être... vient de me contacter pour la première fois depuis ma naissance. Ses propos contredisent en partie ceux de ma mère et je ne sais plus qui croire. M'ont-ils menti tous les deux ? Pourquoi ? J'ai cessé de me couper depuis deux semaines, mais aujourd'hui, ma douleur est si forte que la tentation de recommencer est puissante.

J'attends quelques minutes, mais je me rends compte que je suis la seule connectée au forum. Je le quitte donc pour vérifier mes messages sur Facebook.

Salomé m'a envoyé une vidéo amusante avec des chats. Xavi a posté une série d'autocollants rigolos avant de m'inviter à souper chez lui ce soir ; sa mère prépare un repas entièrement mexicain. Wow ! Depuis qu'on sort officiellement ensemble, c'est la première fois. J'ai bien hâte de rencontrer ses parents, ses deux frères et sa sœur, de découvrir sa maison, sa chambre. Cette invitation me fait oublier mon malaise après la discussion avec mon père. J'accepte aussitôt. Je ne veux pas rester seule à la maison ce soir... avec ma lame. J'ai peur qu'elle soit trop attirante. J'ai besoin de me sentir entourée et aimée.

21

LA BOÎTE À SOURIRES

Samedi 1ᵉʳ juin

C'est mon anniversaire ! En me levant, je découvre
plein de Post-it colorés dans l'appartement. Sur certains, c'est écrit « Bon anniversaire ! » dans plusieurs
langues (dont quelques-unes que je ne suis même
pas capable de déchiffrer), et sur d'autres, un proverbe
ou une citation. C'est l'œuvre de Théo, qui d'autre ?
Je trouve le premier, un jaune, sur le sol, devant la
porte de ma chambre. Ensuite un autre, bleu, collé
sur celle de la salle de bains. Sur le grille-pain, un rose
où il est écrit : « On se bagarre, on se chamaille, mais
pour faire des niaiseries, on est toujours d'accord ! » et
sur un vert : « *Nulle amie ne te vaut, ma sœur !* Proverbe
latin. » Mais brusquement, mon cœur fait trois tours
lorsque je lis un papier rouge : « Deux valent mieux
qu'un, dit-on, mais celui qui a écrit ça ne te connais-
sait pas, p'tite sœur ! Ha, ha, ha ! »

Un torrent de larmes se met à couler sur mes
joues. Secouée de sanglots, je me laisse tomber sur
une chaise dans la cuisine. Théo ne pouvait pas savoir

que son ironie déclencherait une tonne d'émotions négatives en moi... Je n'ai jamais beaucoup aimé qu'on fête mon anniversaire parce que je sais que ma naissance a été la cause de problèmes pour ma mère... et pour mon père aussi, je le sais maintenant. Toute petite, je faisais semblant d'être heureuse, alors qu'au fond de moi, j'aurais aimé que tout le monde oublie cette date maudite où j'ai vu le jour.

Tout à coup, la porte de l'appartement s'ouvre et je vois apparaître ma mère en compagnie de ma grand-mère et de mon frère. Ils restent figés tous les trois en me découvrant en pleurs. Grand-Maman est la première à réagir, elle se précipite pour me serrer dans ses bras.

– Ma chérie ! C'est l'effet que ça te fait d'avoir un an de plus ? Attends d'être rendue à mon âge pour pleurer !

J'essuie mes yeux du revers de la main, en souriant faiblement. Je ne veux pas qu'on me questionne. Ma mère dépose son sac de provisions sur le comptoir et entreprend de ranger les articles dans le garde-manger. Je vois qu'elle a acheté un gâteau qu'elle s'empresse de mettre au réfrigérateur.

– Comme tu n'as invité personne, j'ai pris ton gâteau préféré, celui aux fruits, pour quatre ! On le mangera ce midi, dit-elle en me faisant un clin d'œil.

Je hoche la tête en silence. Je ne veux pas de party d'anniversaire. J'ai simplement hâte que ce soit fini, qu'on soit demain.

– Tiens ! me dit mon frère en me tendant un petit paquet enrubanné de jaune, ma couleur préférée. Bon anniversaire, p'tite sœur !

Il se penche et me colle un gros baiser sur la joue.

Je me hâte de déchirer l'emballage... et je reste bouche bée devant la boîte d'un téléphone intelligent. Mes doigts hésitent à ouvrir le carton, de peur d'être déçue. Et si mon frère avait recyclé sa boîte pour y mettre autre chose ?

– Bon, alors, tu l'ouvres ?! s'impatiente-t-il.

Ahhhh ! C'est effectivement un iPhone... jaune !

– De la part de maman, de Grand-Maman et de moi ! s'exclame mon frère, tout heureux.

Puis il s'empare de l'appareil.

– Je vais te montrer comment le configurer.

– Oh, oh, une petite seconde ! Ce n'est pas tout, intervient ma mère. Avec la complicité de Théo et de Serge, j'ai des billets pour un spectacle au Centre Bell, ce soir. Tes amis sont prévenus et ils ont très hâte de t'accompagner.

Elle brandit devant elle, en éventail, neuf billets qu'elle se met à agiter.

Comme je fronce les sourcils pour trouver qui sont les huit personnes qui vont m'accompagner, Théo s'empresse de me fournir la réponse :

— Toi, moi, Mégane, Salomé, Laurianne, Javier et les XYZ !

Je suis abasourdie. Je n'ai jamais été autant le centre d'attraction le jour de mon anniversaire... Ils sont tombés sur la tête ou quoi ?

Mon frère et moi nous installons ensuite au salon, pour qu'il m'explique le fonctionnement de mon nouveau cellulaire.

Ouah ! Cette journée commence vraiment bien ! Je capote !!!

*   *

*

Je passe l'après-midi à étudier. Anniversaire ou pas, les examens du Ministère s'en viennent et je ne veux pas couler. Mes amis me contactent tous par texto sur mon nouveau iPhone, car Théo leur a communiqué mon numéro. On convient de se retrouver devant le Centre Bell à dix-neuf heures. Je m'y rendrai de mon côté avec Théo et Mégane.

Lorsque la sonnette de l'appartement retentit à dix-huit heures, je suis bien étonnée de découvrir Salomé, un paquet entre les mains. Grand-Maman et ma mère sont au salon, alors je me hâte de conduire discrètement ma sœur dans ma chambre. Ma mère sait que Salomé vient ici, je le lui ai dit quelques jours après l'appel de mon père, mais pour le moment, elle préfère éviter de se trouver face à face avec elle. Je peux la comprendre...

L'ÂME À VIF

– Comme je ne pouvais pas emporter ton cadeau au Centre Bell, je préfère te le donner maintenant, me dit ma sœur en me tendant son présent.

Je m'empresse d'arracher le papier d'emballage et je trouve une boîte de bois joliment décorée à la main. Salomé m'explique qu'elle y a elle-même peint des cœurs, des fleurs, des étoiles, des papillons, des coccinelles (mon insecte préféré !) dans des couleurs éclatantes, avec de la peinture à paillettes jaune.

– C'est une boîte à sourires, m'apprend-elle, le visage illuminé de joie. Je veux que tu y mettes des choses qui te font du bien, que tu auras emballées : ça peut être des bonbons, un bijou, un livre, un parfum, des citations, de jolies cartes... n'importe quoi. Ce seront des cadeaux de toi à toi !

– Mais pourquoi ? Je ne comprends pas !

– Attends, je t'explique... J'en ai déjà glissé quelques-uns dans la boîte, mais je ne te dis pas de quoi il s'agit. Chaque fois que tu iras mal et que tu penseras à te couper, tu pourras en prendre un, le déballer lentement et te faire plaisir. Il faut que tu en mettes le plus possible dans la boîte, comme ça, ce sera une vraie surprise si tu ne te souviens pas de ce que tu y as mis.

Salomé extirpe quelques enveloppes colorées de la boîte.

– J'ai aussi demandé à tous tes amis de t'écrire un mot dans lequel ils disent pourquoi tu es importante pour eux et pourquoi ils tiennent à toi. Dans les moments plus difficiles, tu pourras te raccrocher à ces petites pensées... Ça devrait te redonner le sourire et te rappeler que nous tenons à toi. Mais attention ! Tu ne dois prendre qu'une seule chose à la fois dans la boîte, et au hasard.

– Salomé, c'est génial, cette idée !

– J'ai vu ça sur Internet en cherchant de l'information sur... euh... sur l'automutilation.

Je ne sais pas quoi dire à ma sœur, alors je me contente de la serrer très fort contre moi. Le iPhone, c'était génial, les billets de spectacle pour ce soir, merveilleux... mais la boîte à sourires de Salomé, c'est sûrement le plus beau cadeau que je pouvais recevoir. Ce sera mon réconfort pour toute l'année à venir. Et même au-delà. Je sais que mon combat contre l'automutilation ne fait que commencer... Je me suis assez documentée pour savoir que ce sera une bataille ardue, que la moindre émotion trop violente pourra me faire rechuter. Alors, cette boîte constitue une sorte de bouée de sauvetage.

– Et maintenant, me dit Salomé, je voudrais que tu fasses quelque chose pour moi.

– Oui, bien sûr, tout ce que tu veux ! m'exclamé-je sans hésiter.

Elle tend la paume devant moi.

– Donne-moi ton exacto.

L'ÂME À VIF

Une boule d'angoisse se forme aussitôt dans mon ventre. Je ne dois surtout pas la laisser m'envahir. J'inspire et expire profondément. Mon sac à dos est posé près de mon bureau. Je n'ai qu'à tendre la main pour m'emparer de ma trousse de toilette. Pourtant, elle semble vouloir s'éloigner. Mes yeux courent de mon sac à Salomé, de Salomé à mon sac. Elle pourrait l'attraper elle-même, mais je comprends qu'elle veut que ce soit moi qui prenne la décision de lui donner ma lame, que l'acte de m'en séparer soit un geste volontaire.

Je secoue négativement la tête. Je ne suis pas encore prête à ça.

– Excuse-moi de te dire ça aussi brutalement, Angélique, mais j'ai l'impression que tu cherches à préserver la possibilité de rechuter...

Ses paroles me font l'effet d'un coup de fouet. Je reste figée quelques secondes.

Aurait-elle raison ? Bien sûr que non. Je VEUX m'en sortir.

Bien entendu, ce serait facile pour moi d'acheter un autre exacto. Je sais aussi que je ne pourrais plus me regarder dans un miroir si je décidais plus tard de m'en procurer un second ou d'utiliser un instrument tranchant dans le but de me couper. Ce qu'elle me demande est très symbolique.

D'un pas raide, je m'approche de mon sac et le lui tends.

– Non ! C'est à toi d'y prendre ton exacto..., s'oppose-t-elle en croisant les bras.

Je plonge ma main dans la pochette avant et en extirpe ma trousse. J'hésite une seconde, puis je l'ouvre. Il est bien là, ce cher manche jaune... Je le prends délicatement entre mes doigts, puis d'un geste automatique, comme je l'ai fait des centaines de fois depuis des mois, je fais jouer la lame d'avant en arrière. Après trois ou quatre allers-retours, je la rétracte une dernière fois et tends l'objet à Salomé.

– Tu es sûre ? m'interroge-t-elle.

– Oui ! dis-je d'un ton que je veux ferme. Emporte-le loin d'ici ! Loin de moi...

22

MON ANGE

Il fait beau depuis plusieurs jours, et j'ai vraiment envie de me promener en t-shirt. Mais les cicatrices sur mes bras me font honte... Malgré les crèmes à base de vitamine E que j'ai utilisées, on voit quand même des marques sur mes poignets, mes avant-bras et mes biceps. Ce n'est pas très esthétique. Et que dire de mes jambes ! Lorsqu'il fera plus chaud et que je voudrai porter des shorts, ce sera franchement horrible. Sans compter les nombreuses questions que ces cicatrices vont me valoir. Avant, ça ne me préoccupait pas tellement, mais maintenant que je ne me coupe plus, ça m'embête. Qu'est-ce que Xavi va penser en les voyant ? Je ne pourrai plus lui cacher ce que j'ai fait. Est-ce qu'il va penser qu'il sort avec une folle et me laisser tomber ? Je crains aussi la réaction de ma mère.

Salomé m'a conseillé d'affronter mes problèmes au fur et à mesure qu'ils surviennent. Elle m'a aussi convaincue que je ne devais surtout pas faire l'autruche ni les fuir, mais plutôt en parler ouvertement à mes proches... Plus facile à dire qu'à faire !

Je ne suis pas allée sur le forum Chere_a_vif.fr depuis presque un mois. Peut-être y trouverais-je des conseils pour parler à ma mère, à mon frère, à Grand-Maman et à mon *chum*.

Peaud'âme (Montréal, Canada, 15 ans)

Je ne me coupe plus depuis presque deux mois, grâce au soutien de ma sœur. Mais maintenant qu'il commence à faire chaud, je voudrais me promener en manches courtes et en short. Sauf que mes cicatrices sont visibles ! Je vais devoir répondre aux questions de ma famille et de mes amis. Qu'est-ce que vous me conseillez ?

Je suis surprise de voir qu'on me répond rapidement.

Lifeless (Lyon, France, 15 ans)

Rien. Parce que ta famille ne comprendra jamais. Laisse tomber. Ma mère m'a traitée de folle et d'égoïste quand elle a compris ce que je faisais... et puis le lendemain, c'était oublié. Alors, ne stresse pas avec ça !

Ouh là ! Pas tout à fait ce que j'avais envie de lire... Ça fait peur !

4Life (Liège, Belgique, 17 ans)

N'écoute pas Lifeless, elle est en rogne contre sa mère. Si ta famille et tes amis te posent des questions, c'est qu'ils s'intéressent à toi. Donc, tu t'assieds et tu vides ton sac. Tu dis tout ce que tu as sur le cœur à tes parents en premier. Ce sera difficile pour eux comme pour toi, mais il n'y a pas trente-six solutions. C'est ce que j'ai fait avec ma famille et maintenant tout va bien. Si j'avais su combien ça me soulagerait, j'aurais parlé avant ! Tu as déjà fait un bon bout de chemin en arrêtant toute seule de te mutiler, ce qui est vraiment un grand pas. Il te faut maintenant parcourir le reste de la route... Si tu as besoin de moi, tu peux me joindre en MP, sur Facebook ou sur Skype. N'hésite pas !

Peaud'âme (Montréal, Canada, 15 ans)

Hum ! Parler avec ma mère... En aurais-je le courage ? Et ma grand-mère, je ne veux pas lui faire peur. Peut-être mon frère... Oui, c'est ça, je dois commencer par parler à mon frère. Mais que vais-je faire si c'est mon chum qui m'interroge en premier ? J'ai peur qu'il me laisse s'il apprend ce que j'ai fait.

4Life (Liège, Belgique, 17 ans)

Il ne faut pas mettre la charrue devant les bœufs, Peau d'âme. Prends les choses comme elles viennent. N'essaie pas d'anticiper. De toute façon, ça ne se présente jamais comme on s'y attendait. Si c'est ton petit ami qui s'en aperçoit en premier, eh bien, tu décideras à ce moment-là si tu veux lui faire ou non des confidences. Tu vis déjà beaucoup de stress, ne va pas t'en rajouter sur les épaules avec des « si » et des « peut-être » !

217

Je souris en lisant les propos du garçon de Liège. C'est la première fois que nous sommes connectés au forum en même temps, malgré le décalage horaire. Je ne sais pas grand-chose de lui (je ne connais même pas son vrai nom !), mais il est de très bon conseil. Je sais qu'il a commencé à se mutiler quand il s'est rendu compte qu'il était gay, vers l'âge de treize ans. Il ne pouvait pas l'accepter parce que, dans sa famille, l'homosexualité était une « anomalie » horrible, surtout dans l'esprit de son père. Il s'est coupé, brûlé avec des cigarettes, a pris de la drogue et s'est infligé plein d'autres tortures qu'il n'a jamais voulu révéler sur le forum. Je suis contente qu'il s'en soit sorti. Et je sais que je peux compter sur lui pour me remonter le moral.

* *
*

Comme mon ami virtuel de Belgique l'a dit, les choses ne se produisent jamais comme on les a imaginées... Je suis en train de préparer le souper, une semaine plus tard, quand ma mère arrive du travail. Habituellement, le vendredi, elle finit à vingt-trois heures au supermarché, alors je suis étonnée de la voir revenir à la maison à dix-sept heures trente.

Elle s'installe à la table et me donne un coup de main en épluchant les pommes de terre pour le gratin dauphinois que je prépare. Je sens qu'elle veut me parler, mais qu'elle ne sait pas trop par où commencer. Je décide de la laisser venir à moi, sans chercher à provoquer la conversation.

L'ÂME À VIF

— Ange...

Devant le regard furieux que je lui lance, elle se reprend aussitôt.

— Pardon, Angélique... Écoute, je... j'ai... Oh misère, je ne pensais pas que ce serait aussi difficile. Alors voilà, j'ai vu Paul hier. Ton père.

— Je sais qui est Paul, maman ! Tu l'as vu où ?

— Il est venu faire son épicerie où je travaille. C'était un pur hasard. Nous avons été aussi surpris l'un que l'autre. Il était avec Salomé... C'est fou comme vous vous ressemblez !

— Ah, je ne trouve pas... À part les yeux gris, évidemment.

— Bon, enfin, bref, Paul et moi sommes allés prendre un café, parce qu'il voulait me parler... de toi.

— De moi ?

Le couteau glisse alors de mes mains et m'entaille le bout du doigt.

— Aïe !!

Je me précipite vers l'évier pour faire couler l'eau froide sur la coupure et laver le sang qui gicle.

— Tu as mal ? s'inquiète ma mère. Attends, je vais aller chercher ce qu'il faut.

219

Avant que j'aie pu dire un mot, elle se précipite vers la salle de bains, et revient quelques secondes plus tard avec un pansement et le tube d'onguent antibiotique. L'essentiel de ma trousse de toilette, que j'ai eue avec moi en tout temps pendant des mois... Mais ça, je préfère ne pas le lui dire.

Pendant que je maintiens la pression sur la plaie pour arrêter le saignement, ma mère reprend là où elle s'est interrompue.

– Paul voulait me parler de toi parce qu'il pense que tu vas mal. Il m'a dit qu'il était allé te chercher à l'hôpital, il y a quelques semaines... Qu'est-ce qui se passe, Angélique ? Je suis inquiète. Ton père a l'impression que Salomé et toi, vous lui avez caché des choses. Et moi aussi !

Je me mords les lèvres. Étrange ! La coupure du couteau me fait plus mal que les entailles que je m'infligeais moi-même.

– Ne t'inquiète pas, ce n'était rien de grave !

Le silence s'installe pendant que ma mère termine de panser ma blessure.

– Ça fait longtemps que je voulais te parler de moi, de ton père..., reprend-elle après quelques minutes. Au début, ma colère contre lui était trop grande pour que je sois objective, et puis, tu étais toute petite, tu n'aurais pas compris. Je me suis dit qu'il serait toujours temps, quand tu aurais grandi, de te dire la vérité...

– Quelle vérité, maman ? Que ni toi ni lui ne vouliez de moi ? Tu aurais dû te faire avorter !

Ma mère pâlit brusquement.

– Mais non, voyons ! Qu'est-ce que tu vas t'imaginer là !

– Je n'ai rien imaginé, je t'ai entendue quand j'avais huit ans ! Tu as dit à Grand-Maman que si je n'étais pas née, tu t'en serais mieux sortie avec un seul enfant. Que deux, c'était trop ! JE suis de trop !

– Oh, mon Dieu ! Angélique !

Ma mère porte les mains à sa bouche.

– Je n'ai jamais pensé ça ! J'ai dû dire ces mots-là dans un moment de découragement. Je suis tellement désolée que tu aies pu croire que je ne voulais pas de toi ! Si tu savais...

Je passe derrière ma mère pour filer à ma chambre, mais elle m'agrippe le bras.

– Assieds-toi, Angélique ! Il faut qu'on se parle, c'est important. Tu ne peux pas me tourner le dos et continuer de croire ça. Je me rends bien compte que j'étais tellement prise dans mes propres problèmes que je t'ai négligée. Mon Dieu, quelle erreur !...

Je reste silencieuse. Le visage fermé. J'attends.

– Voilà comment les choses se sont vraiment passées... Ton père est parti avant de savoir que j'étais enceinte. Il sortait en cachette avec Mélanie depuis plusieurs mois et on avait prévu de se quitter, car ça n'allait plus entre nous. Nous ne nous aimions plus, mais ni lui ni moi n'avions voulu l'admettre jusque-là. Pour Théo, nous avions convenu d'une garde partagée après la séparation.

« De son côté, il a appris que Mélanie était enceinte peu de temps après, et il a choisi de l'épouser, ajoute-t-elle. J'étais d'accord. Ce qu'il ne savait pas – je l'ai moi-même découvert un peu tard –, c'est que j'étais enceinte aussi. C'est pour ça qu'il n'y a que six mois de différence entre Salomé et toi. Je ne lui ai rien dit sur le moment, parce que... je pensais que je n'avais plus d'importance pour lui. J'avais choisi de te garder quoi qu'il arrive. Je savais que j'allais devoir travailler plus fort pour vous faire vivre, ton frère et toi, mais je t'aimais déjà tellement ! J'étais si heureuse de voir ta petite face toute fripée quand tu es née. Tu étais mon Ange... Je sais que je ne te l'ai peut-être pas assez montré au cours des dernières années. Je n'ai jamais été très démonstrative. Et puis, j'étais prise dans un tel tourbillon pour que vous ne manquiez de rien... »

Je la regarde avec tristesse et la laisse poursuivre.

– Tu n'as jamais manqué de nourriture ni de soins. Tu as manqué d'amour de ma part... ce qui est cent fois pire ! Si tu savais comme je m'en veux. Je ne suis pas très douée comme mère...

Elle pose sa main sur la mienne et la serre tendrement.

– J'ai réussi à cacher ton existence à Paul pendant deux ans. Il emmenait Théo chez lui de temps en temps. C'est lui qui a trahi mon secret, qui lui a parlé de toi. C'est normal, pour un enfant. Il était si fier de toi, ton grand frère. À partir de ce moment, Paul a voulu revenir dans ta vie, mais je ne voulais pas. Il avait une autre famille maintenant, une autre petite fille dont il devait s'occuper. J'avais peur que tu passes en deuxième toute ta vie à ses yeux. J'ai pensé que ce serait préférable si je pouvais t'éviter ça. Par contre, une fois par an, je lui envoyais des photos de Théo et de toi...

Les confidences de ma mère me laissent sans voix. Rien de ce que j'ai toujours cru n'était la vérité. Elle a choisi librement de me garder, alors qu'elle aurait pu avorter. Mon père ne nous a pas abandonnés ; mes parents ont *décidé* d'un commun accord de mener leur vie chacun de leur côté.

La boule d'angoisse m'étreint de nouveau la poitrine. J'ai chaud et froid en même temps. Mes yeux se fixent sur le couteau que ma mère vient de reposer sur la table. J'ai une envie irrésistible de m'entailler pour que ma douleur physique remplace ma douleur intérieure. Pourtant, je reste là, les bras ballants, incapable de bouger.

– Je suis tellement désolée, Angélique. Si tu veux voir ton père, je ne m'y oppose pas du tout. Tu es assez âgée maintenant pour décider.

Nous gardons le silence longtemps, toutes les deux perdues dans nos pensées.

– Moi aussi, j'ai quelque chose à te dire, maman...

D'un geste vif, je soulève les manches longues de mon chandail pour exposer mes bras, mes cicatrices. Je vois l'horreur dans les yeux de ma mère, mais aussi de la tristesse, de l'incompréhension...

Je laisse couler les mots comme un torrent. Des années de douleur remontent à la surface, rien ne peut plus m'arrêter... Elle doit tout savoir parce qu'il n'y a que ma mère qui puisse me soutenir pour vaincre ce profond désespoir, enfoui au fond de moi depuis tant d'années. Elle saura quoi faire, où trouver de l'aide... pour moi !

ÉPILOGUE

La porte du bureau de la D^{re} Marchand se referme derrière ma mère et moi. Maman me sourit. Notre premier rendez-vous au centre de psychothérapie s'est bien déroulé. Nous avons eu de la chance d'obtenir une rencontre moins d'un mois après l'appel de ma mère, grâce à la recommandation que j'avais obtenue à l'hôpital lors de mon infection.

La psychologue m'a d'abord prescrit des tests physiques pour établir mon état de santé général. Pour la médication, il a été question d'avoir recours aux antidépresseurs en cas de besoin, mais il va falloir attendre les résultats des tests physiques avant de décider. Ensuite, je devrai rencontrer la D^{re} Marchand toutes les deux semaines, durant une heure.

Ma mère m'a accompagnée pour la première rencontre, afin d'être au courant du déroulement de la psychothérapie. On a aussi un peu parlé de mes problèmes, mais pour le moment, c'est difficile de mettre des mots sur ce que je ressens. La docteure m'a donné des devoirs à faire tous les jours. Je dois remplir une grille pour évaluer ma journée, en indiquant comment je me sens à différents moments de la journée. Je dois donner des notes de 1 (très triste) à 7 (très joyeux). Ça s'appelle un « Journal d'humeur ».

J'ai compris que je m'engage dans un traitement à long terme. Ma mère, mon frère et ma grand-mère devront aussi participer à des rencontres, de façon à m'aider à mieux cerner ce que je ressens et comment il est possible d'améliorer mon environnement familial.

Pour l'instant, on a décidé de ne rien dire à mon père. Peut-être que dans quelques semaines, quelques mois, je lui en parlerai. Il choisira à ce moment-là s'il veut lui aussi prendre part à la psychothérapie.

Maintenant, je le sais. Ensemble, on parviendra à me sauver... de moi. Je ne suis plus toute seule.

Ressources au Québec

Jeunesse J'écoute
  www.jeunessejecoute.ca
  1 800 668-6868

Océan (18 ans ou plus, région de Québec)
  www.org-ocean.com
  514 522-3283

Tel-Jeunes
  www.teljeunes.com
  Téléphone : 1 800 263-2266
  Texto : 514 600-1002

Centres de crise du grand Montréal, de Laval et des Laurentides
  www.rccgm.com

Association canadienne de santé mentale
  www.acsm.qc.ca

Carrefour TPL
  www.carrefourtpl.com

Douglas Institut universitaire en santé mentale
www.douglas.qc.ca

Fédération des familles et amis de la personne atteinte de maladie mentale (FFAPAMM)
www.ffapamm.com

Hôpital Rivière-des-Prairies, pédopsychiatrie
www.hrdp.qc.ca/fr

Santé mentale
www.esantementale.ca/Quebec/Automutilation

Self-injury Outreach and Support (SiOS) (Université McGill)
www.sioutreach.org

Ressources en France

Jeunes violences Écoute
www.jeunesviolencesecoute.fr
08 08 80 77 00

Fil santé jeunes
08 00 23 52 36

Les Points Accueil Écoute Jeunes (PAEJ)
www.social-sante.gouv.fr/IMG/pdf/Points_
Accueil_Ecoute_Jeunes_au_12_avril_2011.pdf

Les Maisons Départementales des Adolescents (MDA)
www.social-sante.gouv.fr/IMG/pdf/Annuaire_
MDA_21_octobre_2010-2.pdf

Allo Écoute Ado (Auvergne)
www.alloecouteado.org

CAP ÉCOUTE (Contact Adolescents Parents Enfants)
08 00 33 34 35

Croix Rouge Écoute
www.esantementale.ca/Quebec/Automutilation

Dans la même collection

Sophie Laroche

Le **carnet** de **GRAUKU**

Préface de
Michèle Barbara Pelletier

ÉDITIONS DE MORTAGNE

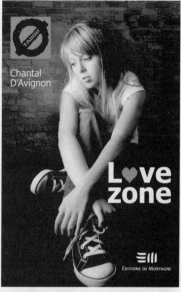

Chantal D'Avignon

L♥ve zone

ÉDITIONS DE MORTAGNE

Rachel Gagnon

AILLEURS

ÉDITIONS DE MORTAGNE

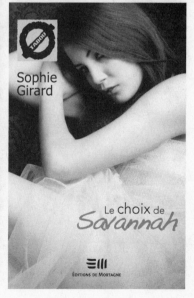

Sophie Girard

Le choix de Savannah

ÉDITIONS DE MORTAGNE

*Dans la même
collection*

Linda
Corbo

Dernière
station

ÉDITIONS DE MORTAGNE

Corinne
De Vailly

L'AMOUR
à MORT

Préface de
François Blais

ÉDITIONS DE MORTAGNE

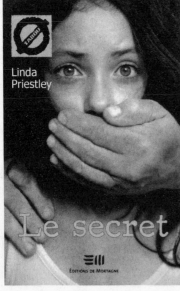

Linda
Priestley

Le secret

ÉDITIONS DE MORTAGNE

Sophie
Girard

L'EMPRISE

ÉDITIONS DE MORTAGNE

Dans la même collection

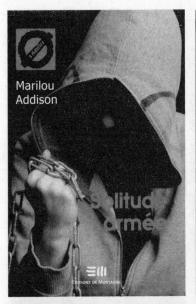

Marilou
Addison

Solitude
armée

Éditions de Mortagne

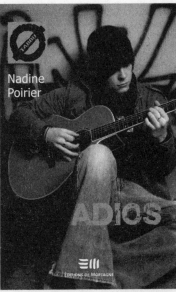

Nadine
Poirier

ADIOS

Éditions de Mortagne

Kim Messier

LE PLACARD

Éditions de Mortagne

Sophie
Laroche

[V]ivre

Éditions de Mortagne

Dans la même collection

Marilou
Addison

Onde
de
choc

Éditions de Mortagne

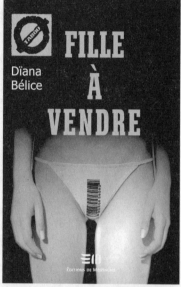

Dïana
Bélice

FILLE
À
VENDRE

Éditions de Mortagne

Samuel
Champagne

Recrue

Éditions de Mortagne

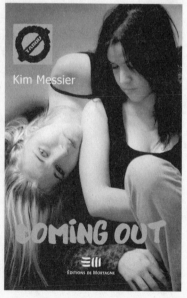

Kim Messier

COMING OUT

Éditions de Mortagne

Dans la même collection

Écorché

Félix Gravel a connu une enfance difficile. Avec un père violent et alcoolique, et une mère qui n'arrivait pas à tenir tête à son mari, le jeune garçon a appris à ne rien espérer de la vie.

À dix-sept ans, Félix veut finalement se prendre en main. Alors qu'il atterrit chez la famille Simard pour quelques mois, il revoit la jolie Frédérique. Élevée dans le luxe et la facilité, elle est bien différente de lui, mais il ne peut résister à l'envie de la séduire...

Frédérique voit en Félix une échappatoire à sa petite vie bien rangée. S'étant toujours conformée aux standards de perfection de sa mère, l'adolescente souhaite désormais s'affirmer et faire ses propres choix. Se laissera-t-elle influencer par le côté *bad boy* du jeune homme ?

*Beaucoup d'adolescents sont aux prises avec de sérieux **troubles du comportement**, parfois provoqués par un traumatisme, par un désir de s'affirmer ou de se rebeller contre les règles établies. À l'âge où l'avenir se prépare, le soutien des proches est précieux, afin de permettre à ces jeunes de trouver leur place dans la société.*

Dans la même collection

L'effet boomerang

Je m'appelle Lou et, il n'y a pas si longtemps, je partageais ma vie entre ma meilleure amie Lucie, Benjamin (que j'aimais en secret), et les heures de retenue que me donnait sans arrêt le directeur adjoint de mon école. J'y passais tellement de temps, d'ailleurs, que j'ai fini par y côtoyer Malo Servais, le garçon qui a brisé le cœur de Lucie. Je ne croyais pas cela possible, mais j'ai découvert en lui un être sympathique... qui m'a fait connaître la véritable amitié gars-fille. Jusque-là, tout allait bien, j'étais une adolescente comme les autres. C'est ensuite que ça s'est gâté.

J'ai prononcé le prénom de Malo devant mes parents, et là, une véritable bombe a explosé ! Pourquoi ma mère a-t-elle réagi si violemment ?

*Toutes les familles ont des secrets, mais certains sont beaucoup plus graves que d'autres. Quand la vérité refait surface après plusieurs années, les conséquences sont parfois désastreuses. À l'adolescence, un lourd **secret de famille** peut ébranler notre confiance en soi, nos rêves et notre bonheur... Il ne faut alors pas négliger l'importance de l'amitié pour surmonter les obstacles.*

Dans la même collection

Ce qui ne tue pas

Lili, Frankie et Liz avaient élaboré le plan parfait : mourir tous ensemble, sans que les gens croient à un suicide. C'est du moins ce qu'ils pensaient. Mais ça ne s'est pas passé comme prévu… Lili, elle, a survécu

Après un long coma, elle se réveille à l'hôpital, où tout le monde crie au miracle. Mais pour l'adolescente, c'est un désastre. Elle n'est pas morte comme elle le voulait ! Pas facile de se battre pour recommencer à marcher quand ton seul souhait est d'en finir…

Lentement, Lili prend toutefois conscience que son geste a eu de graves répercussions sur les membres de sa famille. Méritaient-ils toute la peine qu'elle leur a fait endurer ? Au-delà du rétablissement de son corps brisé, la jeune femme devra entreprendre une guérison beaucoup plus difficile, celle de son esprit.

*L'adolescence est une étape obligée, bien qu'éprouvante. Quand les choses tournent mal, on en vient parfois à envisager des solutions extrêmes, comme un **pacte de suicide**. Un appui extérieur aurait pu aider Lili à y voir clair afin d'éviter d'emprunter cette voie sans retour.*

Garçon manqué

« Oh, la jolie petite fille ! » Je suis pas mal sûr que c'est ce qu'on a dit quand je suis né. On a regardé entre mes jambes et le sort en était jeté. Après, ça n'a plus arrêté. « Regarde ses beaux cheveux longs, comme ceux d'une poupée », disait toujours mon grand-père. Et mon frère refusait que je reste dans sa chambre quand il était avec ses amis : « Tu ne peux pas jouer avec nous, je ne veux pas d'une petite sœur dans les pattes. »

Éloïse. Je savais que c'était mon nom. Mais qui étaient la sœur, la poupée dont ils parlaient ? Je ne me reconnaissais pas dans ces mots, je me sentais différent et je ne comprenais pas pourquoi. Les miroirs et le temps ont répondu à mes questions. J'ai vu un corps de fille. Et pourtant... Je suis un garçon. Un gars, un homme, un ti-cul, un *dude*... Ou vous pouvez tout simplement m'appeler Éloi.

Parfois, la nature fait une erreur, et un enfant naît dans le mauvais corps. Lorsque cette personne prend conscience de sa différence, lorsqu'elle décide que le changement de sexe est sa seule option, un immense processus s'enclenche. L'auteur, lui-même en transition, utilise son expérience pour raconter tous les obstacles inhérents à la **transsexualité**.

Achevé d'imprimer au Canada
sur les presses de Imprimerie Lebonfon Inc.